P9-DXC-716

Stephan Wackwitz

Die Bilder meiner Mutter

S. FISCHER

Erschienen bei S. FISCHER

Gesamtherstellung: CPI books GmbH, Leck
Printed in Germany
ISBN 978-3-10-002420-6

Zwei Tagebücher vom Sterben

»Danach fuhr er in einem Schnellzug durch eine Hügellandschaft im Abendlicht, kam in ein Tal und sah auf Hügeln einzelne Männer wie Standbilder stehen, die alle auf ihn deuteten und ihm Vorwürfe machten.«

Hermann Lenz,
Tagebuch vom Überleben und Leben

Als der Tod im Jahr 1988 sich in unserer Familie einquartierte, haben wir ihn erst nicht wahrgenommen und dann lang nicht ernst genommen. Und dann hat er sich, mit den Metastasen im Körper meiner Mutter, von Tag zu Tag mehr ausgebreitet in unserem Leben und unseren Gedanken, bis er unübersehbar und allgegenwärtig geworden ist zwischen uns. Zum Schluss war meine Mutter dann schon in einem anderen Land als wir, die wir noch jahrzehntelang weiterleben würden auf verschiedene Weisen in unseren unterschiedlichen Lebensläufen. Aber wir hatten gesehen und konnten nicht mehr vergessen, wie der Tod ins Leben tritt. Seine trügerische Harmlosigkeit, wenn das Sterben beginnt. Sein riesenschlangenhaftes Würgen am Schluss. Sein vollkommenes Desinteresse an allem, was menschlich ist.

Zum Abschluss der Berufstätigkeit meines Vaters fuhren meine Eltern im Sommer 1987, voller Vorfreude auf den gemeinsamen Ruhestand, in einem neugekauften Auto durch

Frankreich. Auf einer langen, geraden Strecke schlief mein Vater am Steuer ein. Das Auto kam von der Fahrbahn ab und überschlug sich. Mein Vater hatte nur ein paar blaue Flecken. Aber bei meiner Mutter war einer der oberen Halswirbel gebrochen. Sie wurde in das nächste Krankenhaus gebracht, wo man ihr einen sogenannten Halofixateur anlegte. Das heißt, man befestigte einen Metallring mit Hilfe von vier Schrauben an ihrem Schädel und verankerte dieses Gerüst durch Schienen in einer Oberkörpervergipsung, um alle Halsbewegungen zu unterbinden. Der gebrochene Wirbel wuchs während eines qualvollen halben Jahrs, das meine Eltern erst in einem französischen Krankenhaus, dann in einer kurz zuvor gekauften Ruhestandswohnung im Schwäbischen verbrachten, tatsächlich wieder zusammen. Aber als die deutschen Ärzte meine Mutter aus dem Gipspanzer geschnitten hatten, diagnostizierten sie einige Wochen später Brustkrebs.

Operationen, Bestrahlungen. Chemotherapie. Der Tod machte es sich für zwei Jahre in unserer Familie bequem. Wir lernten ihn aus der Nähe kennen. Damals schickte die Zeitschrift Brigitte ihren Abonnentinnen zum Jahreswechsel Taschenkalender als Werbegeschenke und Treueprämien. Die beiden DIN-A6-großen Brigitte-Taschenkalender von 1989 und 1990 aus dem Nachlass meiner Mutter, die jetzt vor mir liegen, sind aus goldfarbenem Kunstleder. Auf den ersten Blick wirken sie kostbar, auf den zweiten erkennt man, wie billig sie sind. Rechts unten ist das große Brigitte-B zusammen mit der Jahreszahl aufgeprägt, was den irgendwie geschmiedeten oder geschmeidehaften Eindruck verstärkt. Die Brigitte-Jahresgabenkalender aus den letzten beiden Lebensjahren meiner Mutter sehen aus wie zu breit und zu platt geratene Goldbarren. Die Vorsatzblätter zeigen eine hellbraune, an Buchgestaltungstraditionen der zwanziger Jahre angelehnte Schlierenmarmorierung mit roten, blauen und grünen Einsprengseln. Irgendwie kam mir die vorgebliche Erlesenheit dieser in Wahrheit massenproduzierten Notizkalender immer wie ein Hohn auf den Inhalt vor, mit dem meine Mutter sie in den Jahren 1989 und 1990 füllen sollte.

Sie hatte während der zurückliegenden 68 Jahre nie Tagebuch geführt. Aber in ihren beiden letzten muss meine Mutter das Bedürfnis empfunden haben, ihre verrinnende Lebenszeit durch das Schreiben intensiver zu gestalten. Vielleicht glaubte sie unterbewusst, ihr sich immer deutlicher abzeichnendes Ende damit sogar irgendwie hinauszögern zu können. An jedem Tag ihres Zusammenlebens mit dem Tod hat sich meine Mutter Notizen gemacht. So sind zwei Tagebücher vom Überleben und Sterben entstanden und auf mich gekommen, die mich (nachdem ich sie während eines Besuchs bei meinem Vater an mich genommen habe) unablässig beschäftigt, geängstigt, deprimiert, aber schließlich auf eine paradoxe Weise auch getröstet haben.

Die Notate in ihrer schönen, girlandenartigen und sehr gut lesbaren Schrift beginnen am 1. Januar 1989: *In der Mittagszeit um den Katzenkopf. Abends mit B. T. telefoniert und mit V. v. Z., die sehr angeknackst ist von seinem Seitensprung. Den F.s gratuliert, nur er ist dran.* Die letzte, schon sehr zittrige Eintragung stammt vom 24. August 1990: *Der schlimmste Tag meiner Krankheit. Wie kurz vor dem Zusammenbruch. Unser wunderschöner Schrank. Ich kann kaum atmen. Draußen schrecklich heiß. St. und Inez kommen.* An diesem Sommertag im Jahr 1990 hatte sie noch eine Woche zu leben.

Aber merkwürdigerweise sind die Tagebuchnotizen meiner Mutter durchaus nicht alle verzweifelt und düster. Viele von ihnen bringen heute, beim Lesen nach fast fünfundzwanzig Jahren, schöne gemeinsame Wochenenden aus meiner Erinnerung herauf; oder Urlaubstage, die ich mit meiner damaligen Frau bei meinen Eltern verbracht habe. Aber auch historische Erinnerungen werden wach, während ich in den goldenen Notizbüchern blättere und ihre Eintragungen mit meinen eigenen Tagebüchern vergleiche. Es waren die letzten Jahre der deutschen Westrepublik. Politisch waren meine Eltern und ich das ganze zurückliegende Jahrzehnt sehr weit auseinander, fast verfeindet, gewesen. Jetzt hatten wir uns sozusagen auf Rufweite angenähert. In den letzten Jahren meiner Mutter lebten die beiden Generationen unserer Familie, vielleicht zum ersten Mal seit den fünfziger Jahren, innerlich wieder in demselben Land. Meine Eltern waren in ihren politischen Ansichten, aber auch in ihren kulturellen Gewohnheiten und in ihrer Lebensweise angesteckt worden von mir, meiner Frau, meiner Schwester, von jüngeren Freunden.

Aber es war andererseits auch umgekehrt gewesen. Meine Eltern hatten auch uns angesteckt. In meinem Leben als junger Ehemann und Sprachlehrer im Frankfurter Universitätsviertel Bockenheim wurden die Haltungen und Denkgewohnheiten meiner revolutionären siebziger Jahre allmählich ersetzt durch die innenarchitektonischen, intellektuellen und modischen Annehmlichkeiten, die mein erstes Gehalt ermöglichte. Was mit mir und vielen anderen in diesen Jahren langsam, fast unmerklich passierte, hat die Grünen-Politikerin Antje Vollmer – sie sympathisierte in den siebziger Jahren noch mit der maoistischen KPD, Ende der Achtziger war sie schon Mitglied des Deutschen Bundestags – im Rückblick treffend bezeichnet als »Einwanderung ins eigene Land«. Ein Riss durch das letzte Jahrhundert begann sich zu schließen. Nicht lang mehr, und auch im Leben der Nation würde »zusammenwachsen, was zusammengehört«. Unsere Erdgeschosswohnung, deren kleiner Garten in eine fast dörflich stille Hinterhoflandschaft überging, lag in der Jordanstraße, ein paar Häuser entfernt von der Karl-Marx-Buchhandlung. Joschka Fischer hatte sie mitbegründet. Er amtierte jetzt als Umweltminister in Wiesbaden. Seine Vereidigung in jenen berühmten Turnschuhen war schon Legende. Nach der Arbeit blätterte ich dort in Neuerscheinungen. Manchmal saß Daniel Cohn-Bendit in dem kleinen Verkaufsraum und führte vor bewundernden Buchhändlerinnen das große Wort. Der grüne Finanzfachmann und spätere Stadtkämmerer Tom Koenigs, berühmt dafür, dass er in den sechziger Jahren sein beträchtliches Erbe an den Vietcong verschenkt hatte, war fast jeden Samstag in der »Karl Marx« und versorgte sich mit staunenswert hohen Bücherstapeln. Sein Leben – oder zumindest, was ich mir damals unter seinem Leben vorstellte – erschien mir als ein beneidenswerter und tröstlicher Kompromiss zwischen den Ideen von 1968 (die in mir zu veralten und zu verblassen begannen) und einer neuen Zeit. Aber auf eine Weise, die ich mir selber damals nur ungenau hätte erklären können, sah ich in Tom Koenigs (mit dem ich nie ein Wort gewechselt habe) auch eine Kompromissfigur zwischen den verfeindeten kulturellen Sphären, in deren Bann meine Eltern und ich so lange gelebt hatten und einander oft so fremd gewesen waren.

Zum ersten Mal führte ich das Angestelltenleben, das mein Vater damals schon hinter sich hatte. Morgens fuhr ich mit dem Fahrrad die Bockenheimer Landstraße entlang zur Arbeit in der Nähe der Banktürme im Westend, vorbei am berühmten Institut für Sozialforschung und im Schatten der großbürgerlichen Villen der Jahrhundertwende, die ein paar Jahre zuvor in bürgerkriegsartigen Straßenkämpfen vor der Zerstörung gerettet worden waren und jetzt schon wieder Firmenfilialen beherbergten. Die Bürgersteige waren belebt durch eine Freiluft-Modenschau aufsehenerregend elegant gekleideter Sekretärinnen und Bankmänner. Im Drahtkorb auf dem Gepäckträger lag das Buch, das ich nach Erledigung der Unterrichtspflichten beim Goethe-Institut auf der Terrasse meines Lieblingsrestaurants in den Niddaauen lesen würde. Im Hörsaal VI der nahe gelegenen Universität holte ich die akademischen Bildungserlebnisse nach, die während meines Studiums (ich hatte mich damals vor allem als Funktionär des kommunistischen »MSB Spartakus« verstanden) an mir vorbeigegangen waren. Es war ein glückliches, finanziell abgesichertes, ästhetisches, linksbürgerliches, »grünes« und ein bisschen ahnungsloses Leben.

Meine einzige Sorge war der Gesundheitszustand meiner Mutter. Wir telefonierten alle paar Tage, und mindestens einmal im Monat waren wir für ein Wochenende oder manchmal auch nur für einen Nachmittag zu Besuch bei meinen Eltern im Schwäbischen. Wir waren, nach der Entzweiung und Entfremdung der sechziger und siebziger Jahre, wider Erwarten doch noch eine ganz gut funktionierende und füreinander einstehende Familie geworden. Im Rückblick scheint mir, dass wir am Vorabend der Wiedervereinigung doch eigentlich gefühlt oder geahnt haben müssten, welche Umstürze uns bevorstanden. Aber noch im Frühling 1989 habe ich mir nicht im Entferntesten vorstellen können, dass das Land, in dem ich aufgewachsen war, schon im Herbst des übernächsten Jahres (und für alle Zukunft) nicht mehr dasselbe sein würde wie im Jahr zuvor. Und meine Mutter schon tot.

Die Ruhestandswohnung meiner Eltern am Rand der mittelalterlich-barocken württembergischen Provinzstadt Schwäbisch Hall bildete im Urlaub und an verlängerten Wochenenden den Ausgangs- und Zielpunkt meiner oft mehrtägigen Fußmärsche und Radtouren. An manchen Tagen kam ich nach langen Wanderungen durch das Hohenloher Land erst am Abend wieder zurück. Wie alle Wohnungen meiner Eltern über die Jahre waren die beiden Etagen unterm Dach eines anonymen Neubaus, wo sie die Möbel, Erb- und Erinnerungsstücke ihres zurückliegenden Lebens um sich versammelt hatten, eine Innenarchitektur meines Heimatgefühls. Manchmal holte mich mein Vater mit dem Auto irgendwo ab, wenn ich zu weit gelaufen war und es zu Fuß vor Einbruch der Dunkelheit nicht mehr nach Hause geschafft hätte. Auch in den schlimmsten Krankheitsmonaten meiner Mutter gab es gemeinsame Ausflüge zu Museen und Restaurants in der Umgebung von Hall. *Abends das hübsche Konzert im Hof des Rößler-Hauses in Untermünkheim.* Auch werden teure Anschaffungen verzeichnet in den scheinvergoldeten Brigitte-Kalendern, ein unbekümmertes Sich-etwas-Leisten, das sozusagen übermütig geworden war durch die Ahnung und schließlich Gewissheit, es werde nicht mehr lange möglich sein. So kauften meine Eltern in den letzten beiden Lebensjahren meiner Mutter ein paar ihrer schönsten Antiquitäten und alten Bücher; und einen luxuriösen Pelzmantel für sie. Sie gewöhnten sich an, in ziemlich teuren Restaurants zu essen. Sie wählten Die Grünen, und wir schimpften gemeinsam auf Helmut Kohl. Sie waren besorgt über das »Waldsterben«, von dem damals noch viel die Rede war, ernährten sich »bewusst« und kauften auf dem Haller Samstagsmarkt ihr Gemüse bei Biobauern. Wie meine Frau und ich in unserem Frankfurter Ehestand, genossen auch meine Eltern in diesen zwei Jahren, während der Tod sich schon am Horizont ihres Lebens herumtrieb, die politische Zivilisierung der westdeutschen achtziger Jahre und das ökologisch eingefärbte *savoir vivre*, das sich im letzten Jahrzehnt der alten Bundesrepublik auch in der Provinz ausbreitete.

Meine Mutter pflegte bis zum Schluss ihre modischen und künstlerischen Interessen, die in den letzten vier Jahrzehnten freilich nur noch schwache Erinnerungen an ihr damals schon jahrzehntelang zurückliegendes Künstler-Berufsleben gewesen waren. Ihr innenarchitektonischer Ehrgeiz, ihr Schneidern und Basteln, die Stellung von »Geschmack« in ihrem persönlichen Universum von Wertungen und Interessen waren Ruinen ehemals ernsthafter Absichten, Leistungen und einer künstlerischen Ausbildung, die durchsetzungskräftigere Schüler von Professoren, bei denen auch sie gelernt hatte, in bedeutende internationale Karrieren geführt hat. Was sie vielleicht gar nicht wusste und worüber sie jedenfalls nie gesprochen hat. Bei meiner Mutter waren diese Begabungen, seit mein Vater zu Beginn der sechziger Jahre so viel verdiente, dass die Familie damit über die Runden kam, zu einem unverbindlich-hausfraulichen Schneidern und Inneneinrichten verkümmert. *Den ganzen Tag Regen und an dem blauen Rock genäht;* oder: *am Namensschild gepinselt;* oder: *den grauen Rock genäht;* oder: *vormittags den gelben Seidengürtel genäht.* Oder, in einer Formulierung, die ihren persönlichen Desillusionsroman im Frühling 1990 sentenzenhaft zusammenfasst: *Oster-*

24. April Montag

25. April Dienstag

TIP Für Liebhaber frischer Kräuter: Wer gekaufte Kräuter im Töpfchen in einen größeren Topf pflanzt und mit frischer Blumenerde versorgt, bekommt kräftige, ausdauernde Kräuter.

Mittwoch 26. April

Ein böses Kapitel waren die immer wieder verlorenen Taschentücher; die Mutter wußte zu genau Bescheid, wie viele dazusein hatten. Lange Zeit trugen wir sie angeknotet an ein Band, das in der Tasche festgenäht war. Es erforderte Geschick, es zu benutzen. Aber es wäre uns nicht eingefallen, es loszuknüpfen.
Adelheid Mommsen, Tochter des Nobelpreisträgers Theodor Mommsen, über ihre Kindheit um die Jahrhundertwende in Berlin

Donnerstag 27. April

eier bemalt. Doof. Ich kann gar nichts mehr. Und sie machte sich bis zuletzt, wie während ihres gesamten Lebens, unentwegt Gedanken über ihre Garderobe, ihr Aussehen und vor allem ihr Körpergewicht: *der blaukarierte Rock ist schön geworden, wenn ich nur nicht so dick wär.*

Meine Eltern besuchten die Ausstellungseröffnungen im Schwäbisch Haller Würth-Museum. Besuche langjähriger und neuer Bekanntschaften werden notiert, Freundschaften zu ehemaligen Kollegen meines Vaters gepflegt. *Unsere F.s in Hessental abgeholt. Zum Kaffee kommen noch die S.s dazu, dann fahren wir noch nach Schöntal, wo die Sonne durch die Schwüle kommt und die 2 sehr interessiert und begeistert sind.* Wenn meine Frau und ich aus Frankfurt herüberkamen, führten wir in Sommernächten Gespräche beim Wein auf der Terrasse, machten Autotouren, Besichtigungsausflüge, im Winter Schneespaziergänge. *Unsere 2 Frankfurter kommen um 12. Schön zus. gegessen. ½ Katzenkopfspaziergang, dann Adventskranz. Nach 4 Uhr fahren sie wieder. Immer so schön mit den beiden.* Die Freude meiner Eltern an meinen ersten beruflichen Stationen und literarischen Erfolgen war während dieser beiden Jahre eine Ermutigung und ein Ansporn *(S. ruft an und erzählt, daß die Frankfurter Rundschau einen Text von ihm will!)*. Aber sie nahmen auch Anteil an meinen Sorgen, vor allem an meinen damals schon unübersehbaren Eheproblemen. Es gab Familienberatschlagungen, mütterliche Nachfragen, gemeinsame Zweifel und Entschlüsse. *St. ruft an: sie haben ihm die Programmabteilung in Tokyo angeboten!! Nach dem 1. Schock finden wir das ganz toll. Schöner Abendspaziergang bei Neunkirchen. Abends ruft St. noch einmal an und wir schwätzen darüber. Vorher Anruf von K.* Meine Mutter notierte Gespräche über meine Lektüreerlebnisse, zu denen sie mich lange befragte (*Abends kommt St. auf dem Weg nach München. Wie immer schöner Abend. Jetzt beschäftigt er sich auch noch mit der Kabbala!*). Oder wir verbrachten Stunden vor dem Fernseher. Das gemeinsame Anschauen der Tagesthemen wurde in diesen politisch bewegten Jahren ein Ritual bei meinen Besuchen. Hier der Tagebucheintrag meiner Mutter vom 11. November 1989 (die Mauer hatte sich über Nacht geöffnet): *36,7. Stephel ruft an: er hat wahrscheinlich einen Nabelbruch. K. N., die 77jährige Amerikanerin, zum Kaffee. Abends geht S. mit einem ehemaligen Kollegen essen und wir sehen wieder im T. V., was sich in Berlin abspielt. Daß wir das noch erleben! St. angerufen und beruhigt. Besser gefühlt mit meiner Blase.* Wir sahen uns Video-Mitschnitte aus der Sammlung meines Vaters an, vor allem Interviews und Talkshows mit den Protagonisten der friedlichen deutschen Revolution, während die

DDR vor unseren Augen zusammenbrach und schließlich verschwand. Wir waren politisch glücklich und als Familie politisch einig in diesen beiden Jahren. *Ich vergeß mich manchmal, bis es wieder rabenschwarz wie ein Gespenst vor mir steht.*

Denn die guten Abende, Ausflüge und Tage waren nur Ruhepausen in einem Prozess des langsamen, durch trügerische Scheinverbesserungen bloß verzögerten Niedergangs. Etwas zog sich zusammen um meine Mutter, etwas Unheimliches begab sich in ihren Organen. Ihr Leben floss hinterrücks ab aus ihr, bis in den letzten Wochen nichts mehr übrig war von der realistischen, kunstsinnigen, emotional instabilen, warmherzigen, unberechenbaren und empfindlichen Frau, mit deren Begabungen, Enttäuschungen und Hoffnungen mein ganzes bisheriges Leben so eng verbunden gewesen war. *Die Stelle unterm Arm tut immer noch weh und ich bin wieder voller Angst.* Oder: *Wundervolles Wetter. Knochenszintigramm. 1 Stelle im Oberarm ist faul. Dr. P. vermutet, daß es von der Bestrahlung kommt. Wieder kein wirkliches Aufatmen. Noch nach Sauzenbach, der Gasthof ist aber zu.* Kränklichkeiten, unter denen sie ihr Leben lang gelitten hatte, lang schon gewohnte Spätfolgen ihrer Kriegsverwundung, verbanden sich auf unheimliche Weise mit Veränderungen, die jetzt den Tod ankündigten: *Mit Migräne aufgewacht. Gu geht allein zum Markt. Den ganzen Tag und die Nacht irre Kopfweh. Um 4 aufgestanden und Gu macht mir Kaffee. Gegen 5 wieder eingeschlafen. Immer noch die Stiche im Kopf, so Angst vor meiner Zukunft. 37,6. Müde und schlapp. Gu geht auf meine Bitte allein zu F.s, ich bleib im Bett.*

Eines Morgens, als ich aus dem Gästezimmer herunterkam, saß meine Mutter verängstigt, klein und grau auf dem Wohnzimmersofa, gehüllt in eine Decke, die ich ihr zum Geburtstag geschenkt hatte. Sie konnte uns nicht sagen, wo es ihr weh tat. Denn es tat ihr alles überall weh. Vor allem aber fühlte sie, wie ihre Lebenskraft sie verließ. Etwas Unsichtbares und Erbarmungsloses schien sich in ihrer Nähe aufzuhalten. Ich glaubte, diese Anwesenheit spüren zu können. Sie hatte seit Stunden dort in der Dunkelheit und schließlich Dämmerung gesessen, ohne Licht zu machen, ohne uns zu wecken. *7. Januar. Wir sind so verzweifelt, daß wir beide weinen.*

Bald war nicht mehr erkennbar, was schlimmer war, die Krankheit oder ihre Behandlung. *Gu bringt St. z. Bahnhof. Blutabnahme bei P. Er sagt: Krebszellen bilden Wasser, das sich in der Lunge sammelt und nicht abfließen kann + Chemotherapie ist das einzig Wirksame. Entsetzl. deprimiert. Vormittags im Bett. Die Schmerzen im rechten Brustkasten lassen nach, nur beim Husten. Scheußliches Wetter.* Ein paar Wochen später: *Nach Stuttgart zur 6. Chemo. 1 Durchleuchtung der Lunge. Abends Tablette gegen den Husten u. herrlich geschlafen. 124 lb. ?! Ultraschall ergibt keine Reduktion. Frau G. sagt bei der Visite, sie versuchten jetzt ein anderes Mittel. 2. und 3. Lunge durchleuchtet. Lungenszintigramm. Die Ärztin sagt: alles in Ordnung. Vibrosen von der Bestrahlung. Der Schmerz rechts von einer vom Husten gebrochenen Rippe. Um 3 Chemo. Nochmal 3 mal durchleuchtet. N. kommt raus und spricht mit mir (zieml. verdächtig?) Gegen Bestrahlungsschäden spricht der lange Zeitraum u. die Lage (nicht im Bestrahlungsfeld). Er will C. T. abwarten. Visite mit Prof. I. Er hofft auf die neue Chemo. Vorher Herz-Ultraschall. Der Arzt sagt, es hätte sich nichts verändert. Abends noch Comp. Tomographie. Daheim, ohne BH: 127 lb. Dr. P. spricht lange mit uns: höchstwahrscheinlich doch Krebszellen in der Lunge. St. kommt dazu mit herrlichem Blumenstrauß. Daheim K. angerufen und gesagt, daß wir nicht mehr kommen.*

Und dann zwei Wochen später die Erkenntnis, dass all die chaotische medizinische Quälerei umsonst gewesen und alles verloren war: *Mit Gu. bei Dr. P., der einen Bericht vom Marienhospital hat. Als ich frage: »Es sieht nicht gut aus?« Sagt er: »Nein, es sieht nicht gut aus.« Brustkrebs steht nur still, wenn es keine Metastasen gebildet hat. Also bin ich zu spät gekommen. Tief traurig.*

Ihre Schrift wird nach dieser Eintragung von Tag zu Tag zittriger und mühsamer. Trotzdem aber hatte meine Mutter auch jetzt, wenige Wochen vor ihrem Tod, und nachdem sie wusste, dass sie keine Chance mehr hatte, Hoffnungen, die sich auf wenigstens noch ein paar Monate, vielleicht sogar ein Jahr des Weiterlebens trotz Metastasen richteten. Und es gab noch gute Tage. *Schöne leere Fahrt mit Wolken und Sonne zu P. und F. Er untersucht mich vor dem Essen: er sieht in der nächsten Zeit keine dramatische Veränderung. Von Wasser im Herzbeutel keine Spur. Der Hustenreiz: Verklebungen von Bauchfell und Rippenfell, die sich beim Atmen aneinander reiben. Keine Anstrengungen machen. Nicht sprechen beim Treppensteigen, aber 1 x tägl. an die Luft. Er hat 1 Patientin mit Metastasen, die seit 20 Jahren damit lebt (Brustkrebsoperation mit 65, heute ist sie 80). Alles in allem bin ich jetzt wieder viel mutiger. Er meint, es sind Bestrahlungsschäden. Herrliches Mittagessen, dann Ruhe in P.s Boudoir. Nach Kaffee und Kuchen zurück über fast leere Straßen (Fußball-WM). Zeichnung von Dürnstein und Hohenlohe-Buch mitgebracht. So ein schöner Tag!*

Aber der Tod hatte dann doch kein Mitleid mit ihr. Das Wochenende, bevor meine Frau und ich nach Tokyo ausreisen (auswandern) würden (*wie wird er mir fehlen*, hatte sie schon vor Monaten notiert), verbrachten wir in Schwäbisch Hall. Meine Mutter war verändert. Sie stand kaum noch auf, meistens lag sie mit dem Gesicht zur Wand in ihrem Bett. Es war etwas Kreatürliches in dieser Verschlossenheit. Tiere, sagt man, ziehen sich zum Sterben zurück von ihren Artgenossen. Sie verstecken sich, wenn sie fühlen, dass ihr Ende kommt. Als ich Jahre später unsere Katze vom Sterilisieren aus der Veterinärklinik nach Hause holte, setzte sich das Tier zwei Tage lang auf meinen Lieblingssessel, den Kopf in der Ecke zwischen Rücken und Armlehne, verkrochen vor der Welt und dem Schmerz und (wie mir vorkam) vor der Scham über seinen Zustand. Ich weiß, dass es ein unangemessener Vergleich ist, aber ich hatte diese Haltung im Sommer 1990 bei meiner Mutter gesehen. Nur einmal sprachen wir noch zu zweit, und sie sagte, vielleicht würden wir das nächste Weihnachten alle zusammen feiern. »Manchmal hat man doch auch ein bisschen Glück, oder?« Am Sonntagnachmittag verabschiedeten wir uns. Meine Mutter sah mich an wie schon von jenseits der Schwelle ins Unbekannte, die sie ein paar Tage später überschreiten würde. Als ich in der Tür stand, ging ich, einer unklaren Eingebung folgend, ein letztes Mal zurück und küsste sie auf die Stirn, wo (wie ich später irgendwo gelesen habe) hinduistischen Traditionen zufolge sich das sechste Chakra befindet, der Sitz des geheimen Wissens. Ich habe meine Mutter nicht wiedergesehen.

Matria Historia (Wundermuscheln)

Sie war genau siebzig Jahre lang auf der Welt, 1920 bis 1990. Die Lebenszeit meiner Mutter deckt sich mit dem »kurzen zwanzigsten Jahrhundert« der totalitären Ideologien und Regimes. Es war kein bedeutendes Leben, aber doch, wie mir im Lauf meines Nachdenkens über sie immer mehr einleuchtete, beispielhaft für die Möglichkeiten, die das zwanzigste Jahrhundert den Frauen in Europa und Amerika eröffnet – und zugleich vorenthalten hat. Als ich vor mehr als zehn Jahren damit begann, mich mit der Geschichte meiner Familie schriftstellerisch zu befassen, war die Biographie meiner Mutter in den Hintergrund meiner Aufmerksamkeit gedrängt durch die eindrucksvoll-problematische Gestalt meines Großvaters und durch die ausgleichende, sozusagen historisch richtigstellende Familienrolle seines ältesten Sohns, meines Vaters (deren Geschichten anderswo erzählt worden sind). Inzwischen aber ist mir klargeworden, dass sich im Leben meiner Mutter – sozusagen unter der Hand – Vorausahnungen und Kristallisationskerne einer Zukunft jenseits der kommunistischen und faschistischen Weltrevolutionen des letzten Jahrhunderts verwirklicht haben, während wir Familienmänner auf unterschiedliche Weise in diese zerstörerischen Umwälzungen verwickelt gewesen sind. Und ich weiß, dass dieses lang nur Geträumte und Zukünftig-Potentielle jetzt, im einundzwanzigsten Jahrhundert, gesellschaftlich in den Vordergrund tritt.

Das letzte Jahrhundert war, wenn auch auf überwiegend pathologische Weise, männlich. Dagegen ist mir die Gegenwart des Jahres 2014, und eben nicht nur meine, inzwischen lesbar geworden als Entfaltung spezifisch weiblicher Lebens- und Denkmotive, die sich als autobiographische Spuren noch in den goldenen Notizbüchern vom Sterben meiner Mutter finden. In den letzten Echos ihrer Lebensmusik treten diese Zukunftsmotive sogar ganz besonders deutlich umrissen hervor: Kunst, Mode, Familie, Kinder, Innenarchitektur, der Körper, die Psyche, das Spazierengehen, Briefeschreiben, Tagebücher, das Wetter, die Landschaft, die Träume, die Bemühung um Weisheit und Lebensfreude, die Arbeit am eigenen Bild und dem der Welt. Statt der heroischen, öffentlichen und blutigen Männeranstrengungen des zwanzigsten Jahrhunderts, die Welt ein für alle Mal und unwiderruflich zu ändern (Anstrengungen, deren Scheitern im Jahr ihres Todes endgültig zutage trat), verwirklichte das Leben meiner Mutter einen privaten, »kleinen« Heroismus, dessen Spielregeln sie denen der Kunst abgeschaut hatte. Denn dieses Heldentum verwirklichte sich in kreativer Umdeutung der Welt und des eigenen Lebens. Es war ein Heroismus des Anders-Hinsehens, Lebenskunst. Ich habe in vielerlei Lagen bewundert und tröstlich gefunden, wie es meiner Mutter oft (und auch in denkbar schlechten Zeiten) gelang, die Realität und das schwer Erträgliche aus einem Blickwinkel zu betrachten, der dann auf einmal eine überraschende Möglichkeit freigab, sich trotz allem – und wenn auch vielleicht nur einen Moment lang – zu freuen. *Plötzlich schönes Wetter. Gu fährt St. zum Bhf. Hall. Gedacht: ganz gleich, was kommt: die Zeit, wo ich noch normal leben kann, die will ich auch so nutzen u. nicht die Krankenrolle spielen. Nachm. bei F.s der Kleinen das Jäckle gebracht. Sie ist ganz wonnig. Dann kommt D. mit Erd- und Himbeeren aus dem Garten. Anruf von M.*

Solche Lebenskunst ist abseits der »großen« (meist mehr oder weniger katastrophalen) Geschichte im privaten Alltag vieler Menschen seit unvordenklichen Zeiten geübt worden. Aber das historisch Neue des späten zwanzigsten und vollends des einundzwanzigsten Jahrhunderts schien mir beim Durchsehen der Hinterlassenschaften meiner Mutter darin zu bestehen, dass der Heroismus des Privatlebens heute öffentlich wirksam geworden ist. Er hat gesellschaftliche Relevanz gewonnen in den vielfältigen Geschichten der Selbstbefreiung und des Sich-Emanzipierens, deren Errungenschaften wir heute, im Zeitalter einer »Überwindung der Schwere« (Peter Sloterdijk), genießen können. Zumindest wir Bürgerinnen und Bürger der reichen, entwickelten, transatlantischen Gesellschaften genießen sie, die wir heute auf der ganzen Welt um Bundesgenossen werben und Beitrittsgebiete assoziieren. Besitz, Bildung, Kontakte, günstige Zufälle und Mut sind auch im freien Westen ungleich verteilt. Und doch haben sich die Glückschancen in unserem Teil der Welt für so viele Menschen so vielfältig vermehrt, dass es meiner Mutter noch um 1960 herum märchenhaft vorgekommen wäre, wenn sie in die Zukunft hätte sehen können.

Im letzten Jahrhundert hat Heldentum generationenlang darin bestanden, im Interesse zweier Chimären – der »Klasse« oder der »Rasse« – das Leben hinzugeben. Heute ist Heldentum, wenn überhaupt noch die Rede von ihm ist, ein Heroismus individueller Selbstverwirklichung und eines

eigenen Lebens. Das Heldentum des einundzwanzigsten Jahrhunderts verwirklicht sich nicht in der Aufopferung für irgendeinen Endsieg, sondern in den kleinen Triumphen des Weiterlebens. Die »Überwindung der Schwere« ist ein alltägliches Geschäft. Und das in den reichen und freien Ländern inzwischen angebrochene Zeitalter des Genderfeminismus, der Psychoanalyse, der Schwulenbewegung, der Toleranz, der Selbstverwirklichung, der *cosmetic surgery* als Massenphänomen, der *creative industries*, der ökologisch korrekten Ernährung, der selbstgebastelten Religion (oder vielmehr »Spiritualität«), der *political correctness*, der allgegenwärtigen Kunst und der emphatischen Anerkennung alles Fremden – das Zeitalter des *Lebenskonstruktivismus* – hat seinen Ursprung in den vergessenen Kontinenten des Privatlebens. Im Haus, im Alltag, in der Familie. Weswegen das einundzwanzigste Jahrhundert, wie mir im Fortgang meiner Mutterforschungen mehr als einmal vorgekommen ist, im Privaten (das dann in bestimmten geschichtlichen Augenblicken offenbar tatsächlich politisch wird) am genauesten studiert werden kann.

Als ich klein war, in den fünfziger Jahren, gab es in Spielzeugläden und Schreibwarengeschäften sogenannte »Wundermuscheln« zu kaufen, die mich sehr faszinierten und die auch meine Mutter liebte. Im Innern einer großen Muschel, die mit einem Papierstreifen verschlossen wurde, waren an einem Faden Blumen aus Seidenpapier befestigt, die sich, wenn man die Wundermuschel am Abend in ein Glas Wasser legte, bis zum Morgen (tatsächlich wie durch einen Zauber) entfalteten und dann als kleiner Strauß für einen Tag oder zwei im klaren Wasser standen. Vielleicht könnte man sagen, dass die Hoffnungen, Träume und Talente ganzer

Frauengenerationen in den demokratischen Gesellschaften der Jetztzeit so entfaltet worden sind, wie die unscheinbaren Papierschnitzel im Innern jener Kindheitswundermuscheln sich entrollten, in die Höhe stiegen und scheinhaft aufblühten. Ich glaubte angesichts der Papiere meiner Mutter zu verstehen, welches Erbe wir alle aus dem letzten Jahrhundert in unser heutiges und künftiges Leben mitgenommen haben und mitnehmen dürfen. *Lang mit mein Stephan telefoniert. Er sagt, er würde mir so viel verdanken an Anregungen, Schöpferischem u. Märchenwelten. Man müßte das mal sagen. Sehr gefreut.*

Denn tatsächlich war meine Mutter, wie es alle Eltern für ihre Kinder sind, auch meine Lehrerin, im Guten wie im Bösen. Ihre Notizen und Zeichnungen sind mir während dieser Recherche als ein Lehrbuch des zwanzigsten Jahrhunderts vorgekommen. Als Manuale und Schaubilder allerdings seiner geheimen alternativen Möglichkeiten. Ich hatte über den Hinterlassenschaften meiner Mutter oft das Gefühl, ins unterirdische Labyrinth einer klandestinen Vorgeschichte des einundzwanzigsten Jahrhunderts einzusteigen. Nicht die ideologisierten Haupt- und Staatsaktionen der letzten hundert Jahre sind ihr Lebensthema gewesen. Eine Lehrerin war meine Mutter auch nicht in den männlichen Handwerken des Theoretisierens, der Politik, der Geschichtsschreibung und der Literatur (wie mein Großvater, mein Vater, meine Professoren und Mentoren es zeitweilig gewesen sind). Dafür hatte sie keine Begabung, und für diese Handwerke war sie nicht ausgebildet. Eine Lehrerin ist sie vielmehr in den »kleinen« Handwerken des Lebens gewesen – und im Handwerk der Kunst, das mit dem des Lebens eng verwandt ist. Der mexikanische Historiker Luis Gonzales y Gonzales – er gehörte zu den Ersten, die den

Begriff »Mikrohistorie« genauer ausarbeiteten – hat diesen in einer seiner Schriften versuchsweise durch »matria historia« ersetzt und damit postuliert und festgehalten, dass die Erforschung des historisch scheinbar Abgelegenen befasst ist mit »der kleinen, schwachen, sentimentalen, weiblichen Welt der Mutter«.

Und weil alle Eltern und Lehrer in ihren Kindern und Schülern insgeheim ihre Befreier (ihre Erlöser) sehen, hat meine Mutter die Lebensrolle ihres Sohnes als Interpret und Fortsetzer ihrer eigenen Möglichkeiten gesehen – auch der zu ihrer Zeit und von ihr selbst nicht verwirklichten Möglichkeiten, auch derjenigen, vor denen sie *versagt* hatte. So etwa in einem Traum zu Beginn ihrer Krankheit, in der Nacht vom 15. auf den 16. Juli 1989, von dem sie mir damals gleich erzählte und dessen Protokoll ich nach ihrem Tod in einem Schreibheft ihres Nachlasses gefunden habe. Dieser Traum begleitet mich bis heute. Ich habe das Gefühl, ihn inzwischen in vielen Einzelheiten zu verstehen. Jenes von meiner Mutter geträumte *bäuerliche Paar*, das sein Leben versäumt und verschläft, ist mir seit 1989 in vielen Menschen begegnet. Den *kellerartigen Raum* mit dem in seiner Gefangenschaft fröhlich *plätschernden* Seehund (ein Symbol unverwirklichter Vitalität wie in den tiefsinnigsten und komischsten Geschichten Kafkas), aus dem sie sich befreien will und aus dem heraus ich ihr *vorangehe*, kenne ich aus meinen eigenen Träumen. Und das *schloßartige Gebäude* mit dem *Balkon-Theater* und den *Marionetten* (die ich als die Kunst deute) habe ich (zum Beispiel) jedes Mal, wenn ich über den Burgberg zur Arbeit im Goethe-Institut von Krakau ging, im Hof des dortigen Renaissanceschlosses gesehen. Ich wusste dann und freute mich darüber, dass ihr schon vor Jahren unter so viel Schmerzen und Traurigkeit zu Ende gegangenes Leben sich in meinem jetzt fortsetzte.

Gu und ich haben Besuch von einem bäuerlichen Paar (V. und M. kommen übermorgen), wir wollen mit ihnen spazierengehen, aber sie haben sich schon wieder, kaum aufgestanden, ins Bett gelegt in einem kellerartigen Raum, der Mann hat eine weiße Gesichtsmaske aufgelegt und im Fußboden ist eine große Vertiefung ausgehoben, mit Wasser gefüllt, in dem ein Seehund plätschert. Ich bin ganz froh, daß sie nicht mit spazierengehen und ich sage, sie sollen schön schlafen.

Ich suche den Ausgang aus dem Keller. Stephan geht mir voran. Er zwängt sich durch einen Gang, der fast ganz mit nassem Zement verstopft ist u. ruft mir von drüben, ich solle doch kommen, aber ich mag nicht und habe wieder Angst, stecken zu bleiben – wie so oft in meinen Träumen von den zu eng werdenden Keller-Höhlungen. Stephan reicht mir Papiermappen und Sandpapier durch den Zement. Ich suche einen anderen Ausweg, gehe einige Schritte den Gang weiter und sehe, daß eine kleine Treppe ins Freie führt. Draußen ist eine Art öffentlicher Garten mit vielen jungen Leuten. Die Sonne scheint. Ich suche Stephan, um ihm von meinem glücklichen Ausgang zu erzählen u. sehe ihn im Gespräch mit einer Studentin umhergehen. An einem schloßartigen Gebäude spielen junge Leute Theater auf den übereinander liegenden Balkonen in historischen Kostümen. Sie sind wie Marionetten an Seilen aufgehängt. Stephan macht mich mit der Studentin bekannt u. ich setz mich zufrieden ins Gras u. schaue dem Balkon-Theater zu.

Esslingen am Neckar

Die freie Reichsstadt Esslingen am Neckar wurde erst 1803 eingemeindet in das neugeschaffene Königreich Württemberg. Der sogenannte Reichsdeputationshauptschluss des »immerwährenden« Regensburger Reichstags entschädigte die deutschen Fürsten für den Verlust ihrer Besitzungen in den Koalitionskriegen. Das von den französischen Revolutionsarmeen besiegte Heilige Römische Reich hatte den Rhein als westliche Grenze akzeptieren müssen. Dafür wurden den deutschen Fürstentümern und Königreichen die bisher reichsunmittelbaren Städte, Klöster und Territorien rechts des Flusses übereignet. Esslingen tröstete sich in den folgenden Jahrzehnten über den Verlust der politischen Selbständigkeit hinweg, indem die Stadt eine tragende Rolle bei der Entwicklung des Kapitalismus in dem noch ganz bäuerlich geprägten Königreich übernahm. Die Industrieregion Mittlerer Neckarraum ist seitdem eines der modernsten Industriegebiete der Welt. Aber sein soziales und psychisches Leben zeigt oft etwas Verdrehtes, Krauses (manchmal auch massiv Psychopathisches), von dem ich immer das Gefühl habe, dass es aus unterschwellig fortwirkenden mentalen Restbeständen stammt, aus dem verlängerten Mittelalter jener verlorenen Autonomie.

Die schwäbischen Irritationen, Verkrampfungen und Störungen kommen, glaube ich, aus einer Zeit, als hier das Reichsstädtische und das Bäuerliche mit den entstehenden modernen Lebensverhältnissen zusammenstieß. Eine einmalige und unverwechselbare Mischung von weltzugewandten Fähigkeiten und inneren Beschränkungen bestimmt bis heute das Leben in Württemberg: Tüftlertum, Provinzialismus, Mittelstand, Frömmigkeit; dann wieder überraschend weite kulturelle Perspektiven. Neurosen, guter Wein, hervorragende Küche. Eine reiche literarische und philosophische Traditionslandschaft, moderne wissenschaftliche Exzellenz und zugleich eine fast nicht zu glaubende atmosphärische Enge. *Mir kennet älles, außer Hochdeitsch.* Tatsächlich ist der schwäbische Dialekt weiter von der Hochsprache entfernt als die meisten anderen deutschen Dialekte. Vor allem aber wird er (etwa so, wie das Alemannische in der deutschsprachigen Schweiz) auch von Ministerpräsidenten und Wirtschaftsgrößen ganz unbefangen öffentlich gesprochen. Bis ins frühe zwanzigste Jahrhundert hinein waren die bedeutenden Industriebetriebe Esslingens noch umgeben und durchsetzt von monumentalen Resten der mittelalterlichen Befestigungsanlagen und wurden administriert aus einem altweltlichen Lebensgefühl heraus, das zur Moderne in einem intellektuell fruchtbaren, aber auch zerreißenden Spannungsverhältnis stand.

Hierher zog aus der Pfalz, wo seine Familie seit Jahrhunderten ausgedehnte Weinberge und eine bis heute bestehende Weinhandlung bewirtschaftet hatte, vor dem Ersten Weltkrieg ein unternehmender, intelligenter und seelisch vielfach instabiler junger Eisengießer namens Ernst Hartmetz, der mein Großvater werden sollte. Er würde in den folgenden Jahrzehnten bei Hahn und Kolb in Stuttgart und dann in der Oberesslinger Niederlassung der Index-Werke (Maschinenbaubetriebe, die es heute noch gibt) eine – durch den Krieg für ein paar folgenreiche Jahre unterbrochene – Karriere als kaufmännischer Leiter der Gießerei und später stellvertretender Abteilungsleiter der Gesamtfirma machen. Er war 1887 geboren. Sein Vater war Dorfschullehrer gewesen. Als junger Mann hatte sich Ernst Hartmetz, vermutlich inspiriert durch die Wandervogel- und Naturfreundebewegung des frühen Jahrhunderts, in seiner pfälzischen Heimat als Bergsteiger hervorgetan. So verzeichnet das Online-Gipfelbuch der »Datenbank Sandsteinklettern« für 1909 eine Erstbesteigung des Westwandrisses des Hülsenfelsens bei Hauenstein durch meinen Großvater und zwei seiner Bergsteigerkameraden, 1910 eine Erstbesteigung der Ostwand des Asselsteins und der Südwand des Hundsfelsens. Mut, Kraft, Ausdauer, Geschick, taktisches Denkvermögen, aber auch eine gewisse Verbohrtheit scheinen sich anzukündigen in diesen frühen sportlichen Erfolgen. Während einer dreijährigen Anstellung in der Maschinenbauabteilung der Uhrenfabrik Gebrüder Thiele GmbH im thüringischen Ruhla lernte er seine spätere Frau Else kennen. Zeitlebens beschäftigte er sich neben seiner Berufstätigkeit mit technischen Experimenten, Basteleien und Erfindungen. 1926 meldete er in Deutschland, 1927 in Amerika das Patent einer Pressluftspritzarmatur an, die durch Hahn und Kolb auf der Basis einer Stücklizenz weltweit ausgewertet wurde, bis es 1944 auslief.

Seine Einnahmen aus dieser dann bald kriegswichtig werdenden Erfindung waren erheblich. Schon 1927 begann er mit dem Bau eines Einfamilienhauses auf dem Esslinger

Zollberg. Hinter dem dreistöckigen, villenartigen Haus am Hang liegt heute noch der steile Garten voller Beerensträucher, Blumen, Kirsch- und Zwetschgenbäume. Das Haus

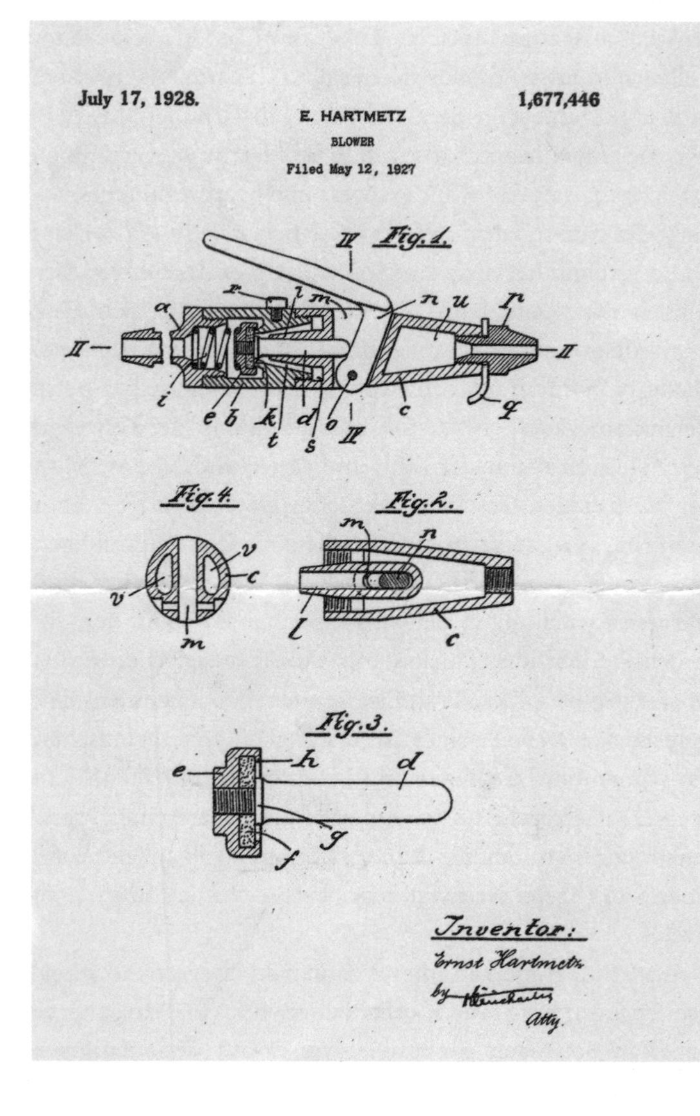

meiner Großeltern ist neben unserer ersten Familienwohnung am Stuttgarter Killesberg der Schauplatz meiner frühen Glückserinnerungen. Aus seinen Fenstern hatte ich als Kind einen mir bis heute unvergesslichen Blick über die ganze Stadt und auf die Filderhochebene jenseits des Neckartals. In einer Farbigkeit, die für Deckerinnerungen typisch ist und der man möglicherweise nicht ganz trauen sollte, ist mir, seit ich denken kann, ein Esslinger Septembernachmittag gegenwärtig gewesen, an dem ich im Garten am Zollberg Gustav Schwabs »Sagen des Klassischen Altertums« gelesen zu haben glaube. Ich saß im Wipfel eines großen Zwetschgenbaums an der oberen Grenze des Grundstücks, das jenseits eines überwachsenen Zauns schon in die Wildnis des noch höher am Steilhang liegenden Bauerwartungslands überging. Der Geschmack der festen, süßen Früchte, die mir dort oben sozusagen in den Mund wuchsen; die glatten, dunklen Äste; jener Blick ins Land hinaus; das unbekümmerte Hinunterspucken der Kerne; ein Freiheitsgefühl; die überm Lesen mühelos verstreichende Zeit (»Ganze Tage in den Bäumen«).

Seit 1932 war mein Großvater in der NSDAP gewesen. 1934 kamen Mitgliedschaften in der SA, der »Deutschen Arbeitsfront« und in der »Volkswohlfahrt« hinzu. 1935 wurde er für drei Jahre »Blockleiter« (umgangssprachlich »Blockwart«) seines bürgerlich-wohlhabenden Wohngebiets und war damit Repräsentant des Nationalsozialismus im Lebensalltag von ungefähr fünfzig Familien. »Der Hoheitsträger muss sich um alles kümmern«, heißt es in einer Handreichung des NSDAP-Hauptschulungsamts über die Aufgaben des Blockwarts. »Er muss alles erfahren. Er muss sich überall einschalten.« Blockleiter waren für die Durchsetzung der antisemitischen Rassenpolitik der Nazis zuständig, machten Meldung über die Stimmung an der Basis, denunzierten Unzufriedene und Juden, überwachten bekannte Regimegegner, führten Haushaltskarteien, kassierten allerlei Beiträge, ordneten die zu allen offiziellen Anlässen üblichen Beflaggungen an, waren für das »Winterhilfswerk« und die Organisation der regelmäßigen Eintopfsonntage zuständig.

Da mein Großvater gleichzeitig immer Mitglied der evangelischen Kirche geblieben, zeitweilig sogar Kirchenrat gewesen war und sich, wie er in seinem Entnazifizierungsverfahren angab, in einem Brief an den Gauleiter gegen die Gleichschaltung der württembergischen Landeskirche ausgesprochen hatte, endete seine Zeit als Blockwart im Jahr 1937. Aber stattdessen machte er Parteikarriere als Kassenwart der nächsthöheren nationalsozialistischen Organisationseinheit, der Ortsgruppe, und übte diese Funktion bis zu einer schweren Ischiaserkrankung im Jahr 1941 aus. Familienfotos zeigen ihn mit seinen Töchtern vor seinem Mercedes in SA-Uniform. 1946 internierte ihn die US-Besatzungsadministration für einige Monate in ehemaligen nationalsozialistischen Konzentrationslagern in Kornwestheim und Darmstadt. Aber später in demselben Jahr wurde er als minderbelasteter »Mitläufer« rehabilitiert, nachdem er der Spruchkammer eine Reihe von »Persilscheinen« vorgelegt hatte. Aus ihnen ging hervor, dass mein Großvater zwar immer ein hundertprozentiger Nationalsozialist gewesen sei, aber niemandem – jedenfalls niemandem, der noch am Leben war und gegen ihn aussagen konnte – persönlich geschadet habe. In den Entnazifizierungsakten meines Großvaters findet sich auch das Zeugnis eines Arbeitskollegen, der sich 1940 offenbar geweigert hatte, für das nationalsozialistische Winterhilfswerk zu spenden, und diese Weigerung damit begründete, dass er aufgrund der Wirtschaftspolitik der Nazis zu wenig in seiner Lohntüte habe, um etwas davon für Parteizwecke abzugeben. Solche Äußerungen konnten einen damals ins KZ bringen.

»Ein Bruder von mir ist im 3. Reich als angeblich unheilbar Kranker in einer Heilanstalt ›gestorben‹. Für die Einrichtungen der NSDAP hatte ich auch aus diesem Grund nicht viel übrig (…) Ich legte meine Wochenfahrkarte und 1 RM auf den Tisch und sagte: ›Das ist mein Weihnachten!‹ Ich wollte abends noch in den Albvereinsabend. Auf der Treppe traf ich den Blockleiter. Gerade zu mir wolle er. Ich ging mit ihm zurück. Er legte eine Sammelliste auf den Tisch und sagte, er komme für eine Sonderspende. Der Führer erwarte, dass jeder Volksgenosse diesmal ein besonderes Opfer bringe usw. Ich sagte ihm dasselbe wie meinem Weib und meiner Tochter, ich könne und wolle nichts zahlen. Mag sein, dass ich im Ärger noch dies und jenes anderes sagte. Und jetzt, sagte ich zum Schluss, werde ich den Rest von meinem Weihnachtsgeld im Palm'schen Bau umsetzen. Meine Tochter, von der ich sagte, sie habe heute mehr Grund, etwas zu spenden, zeichnete einige Mark. Meine Weigerung, auch nur einen geringen Betrag zu spenden, verursachte noch am selben Abend in der Ortsgruppe größte Aufregung. Es wurden mir, wie ich hörte, noch angeblich früher schon gemachte abfällige Äußerungen zur Last gelegt. Jetzt sei das Maß voll. Ich habe es nur Herrn Hartmetz zu verdanken, wenn ich nicht vielleicht noch in der Nacht geholt worden bin. Er hat als einziger für mich gesprochen, meinen aufgeregten Zustand und meine Haltung als verständlich hingestellt und so verhindert, dass ich und meine Familie ins Unglück gekommen sind.«

Das waren die Umstände, unter denen sich 1940 in Esslingen Menschlichkeit bewies. Sein »gutes Herz«, sein »Familiensinn«, seine »christliche Einstellung«, seine »technische Begabung«, »der gute Kern in Herrn Hartmetz auch Nazigegnern gegenüber« wurden dem entmachteten nationalsozialistischen Funktionär Ernst Hartmetz 1946 von der Entnazifizierungsspruchkammer zugutegehalten. Auch sei er »jeden Morgen der erste und jeden Abend der letzte im Geschäft« gewesen. Die Amerikaner rückten 1946 schon ab von einer konsequenten Entnazifizierungspolitik. Die Spruchkammer gab sich mit den vorgelegten Bezeugungen der Humanität meines Großvaters zufrieden, ohne genauer nachzuforschen, welchen Menschen Ernst Hartmetz möglicherweise keine Nachsicht und keine christliche Einstellung entgegengebracht hatte. 1946 wäre von denen ja auch niemand mehr am Leben gewesen. Die Volksgemeinschaft in Esslingen schloss sich jetzt wieder zusammen gegenüber der amerikanischen Besatzungsmacht, die mit der technischen und administrativen Elite des besiegten Deutschland ihrerseits längst andere Pläne hatte und alle Augen zudrückte. Schon bevor die Entnazifizierung 1951 gesetzlich für beendet erklärt wurde, hatten zumindest die US-Besatzungsbehörden die Politik der *Re-Education* eingeleitet. Der Kalte Krieg hatte begonnen.

Aber auch aus dieser Phase prekärer Verbrüderung der ehemaligen Todfeinde Nazideutschland und Amerika sind auf den unsichtbaren Wellen des Internets Dokumente zu mir gereist, während ich, den Laptop auf den Knien, in meinem heimischen Lesesessel saß. Der entmachtete Blockwart ergreift in ihnen selbst das Wort. Der merkwürdig verquollene, aus Sentimentalität und Brutalität gemischte Charakter meines Großvaters gewinnt einen prägnanten stilistischen Ausdruck. Aus dieser digitalen Aktenlieferung stieg eine Stimmung auf, die ich aus meiner Kindheit wiedererkannte, die mir dann gleich für Esslingen und die widersprüchliche Modernität dieser Stadt typisch erscheinen wollte und die vielleicht wirklich viel damit zu tun hat, was in der Nazizeit dort (und überhaupt in Deutschland) passiert ist.

Die »Kirche Jesu Christi der Heiligen der letzten Tage«, wie die Mormonen sich selbst nennen, unterhält am Hauptplatz von Salt Lake City, gegenüber ihrer neugotischen

Hauptkathedrale, das größte genealogische Archiv der Welt. Die Mormonen glauben an das Institut der »Totentaufe«. Da es ihre Kirche erst seit 1830 gibt und ihrer Ansicht nach das

Himmelreich nur erwerben kann, wer von ihnen getauft wurde, holen die »Heiligen der letzten Tage« dieses Sakrament für alle Menschen, die zu ihrer Lebenszeit nicht die Chance hatten, mormonisch getauft zu werden, posthum und mit Hilfe lebender rechtgläubiger Stellvertreter nach; dazu brauchen und sammeln sie die Namen und Geburtsdaten möglichst vieler Menschen. Die Mormonen haben sich die Sisyphusarbeit auferlegt, in den Besitz der Lebensdaten buchstäblich aller Menschen zu kommen, die je auf der Welt waren. Das mit großem Kosten- und Arbeitsaufwand über anderthalb Jahrhunderte aufgebaute Mormonenarchiv armer Seelen ist, obwohl es aus ganz unwissenschaftlichen Motiven eingerichtet worden ist, deshalb inzwischen eine der weltweit wichtigsten Institutionen historischer Forschung. Und seit seine Bestände für jedermann kostenfrei und unkompliziert online von überallher auf der Welt einzusehen sind, können Hobbyfamilienforscher in Salt Lake City auch über ganz entlegene Verwandte überraschend Konkretes erfahren. Die Verfügung über unbekannte oder vergessene Familiengeschichte auf Tastendruck, die das genealogische Archiv der »Heiligen der letzten Tage« ermöglicht, hat etwas Märchenhaftes. So kam auch mir das Auftauchen einer im Jahr 1948 niedergeschriebenen familiengeschichtlichen Ausarbeitung meines verstorbenen Esslinger Großvaters aus den Tiefen des Internets wie ein Wunder vor. Zumal einem die Entstehungsumstände dieses sehr merkwürdigen Dokuments einen der unwahrscheinlichen Zufälle vor Augen führt, wie sie nur durch Kriege und Revolutionen hervorgebracht werden und deshalb vielleicht nicht nur in meiner Familiengeschichte fast gespenstisch häufig vorgekommen sind.

In Memoriam
15. Dezember 1947
Meiner Cousine
Frances Lafolette
geb. Hartmetz
Und deren Gemahl, dem Direktor der am. Militärregierung
in Württemberg-Baden
Mr. Charles M. Lafolette
Stuttgart
Mörikestr. 21
gewidmet
Esslingen/N., Dezember 1948
Ernst Hartmetz

Anfang Dez. 1947 sahen wir das Bild des Nachfolgers von Gouverneur Mr. Sewall in der Stuttgarter Zeitung. Mr. Lafolette, lasen wir, sei Rechtsanwalt in Evansville Ind. gewesen und Mitglied des Repräsentantenhauses f. d. Staat Indiana, Mitglied des Obersten Gerichtshofs der U.S.A.

Am 15. Dez. 47 rief mich B. im Geschäft an. Ich verstand nicht viel, da die ganze Familie um das Telefon anscheinend einen Indianertanz aufführte. Nur so viel, daß eine Miss Lafolette bei uns gewesen sei; ich wurde nicht ganz klug und versprach nur, sofort heimzukommen. Für einen Sonnenstich der ganzen Familie war das Wetter und die Jahreszeit zu weit fortgeschritten. So viel stand für mich fest.

Daheim redete Alles zugleich auf mich ein und mir wurde klar, daß etwas absolut Unwahrscheinliches Tatsache und wirklich eine Großkousine von mir (die mit mir den Urgroßvater väterlicherseits gemeinsam hat) die Gemahlin des neuen Direktors der U.S.A.-Militär-Regierung in Stuttgart sei.

Wenige Tage darauf lernte ich auch meine Cousine persönlich kennen und am 1. Weihnachtstag dank ihrer liebenswürdigen Einladung meiner ganzen Familie auch ihren Gemahl, Mister Charles Lafolette.

Es war mir und uns Allen klar, dass die ungeheure Fülle der Repräsentationspflichten – ganz abgesehen von Mr. Lafolette – auch meiner unerwartet in Erscheinung getretenen Cousine Frances bei allerbestem Willen es nicht ermöglichen werde, sich so viel um uns zu kümmern, wie es sicher ursprünglich deren Absicht gewesen ist. Wir dürfen andererseits wohl bestimmt ohne Sorge sein, dass die seltenen Besuche unserer Mädchen, der freundlichen Aufforderung von Frances folgend, von ihr oder Ihnen, Herr Direktor Lafolette, als Aufdringlichkeit empfunden wurden.

Wir sind Ihnen Beiden für immer zu Dank verpflichtet, dass Sie in so liebenswürdiger und aufopfernder Weise zweimal die weite und anstrengende Reise zu B. machten bzw. diese in Bernau abgeholt haben. Dass sie ihre sehr befriedigende Anstellung mit Frances Empfehlung zu verdanken hat, dessen wird sie sich bestimmt jederzeit dankbar erinnern.

Wir haben Gott täglich zu danken, dass er vor Jahrzehnten, ja Generationen tüchtige, brave junge Menschen unseres gemeinsamen Stammes, ganz gleich, was den Ausschlag gab, in ein fernes, großes und reiches Land geführt hat, in welchem sie es dank ihrer Tüchtigkeit und ihres Fleißes, vor allem aber auch ihrer Frauen, weit brachten. Wir und mit uns viele viele Glieder der Geschlechter dieser Männer und Frauen haben sowohl in den traurigen Jahren nach dem 1. Weltkrieg manche Wohltat von ihnen empfangen, wie besonders nach der völligen Zerschlagung unseres geliebten Deutschland unserer gemeinsamen Vorfahren in erster Linie ihrer liebevollen, wahrhaft bewundernswerten

Wohltätigkeit zu verdanken haben, wenn wir nicht körperlich wie seelisch zugrundgegangen sind.

Hat auch die rauhe, phantasielose Wirklichkeit es leider verhindert, dass das schöne Wintermärchen von gemeinsamen Fahrten nach der wunderschönen, herrlichen Pfalz am Rhein, der Väter teuere Heimat Kindenheim Tatsache wurde – ein schöner Sommertraum war es mir immerhin – so mögen vielleicht doch die in Deutschland verbrachten Momente, die über kurz oder lang auch der Erinnerung angehören dürften, bei Dir, liebe Cousine Frances wie auch bei deinem lieben Mann sowie bei M. ein wenig Interesse erweckt haben, etwas aus der HARTMETZ-Sippe kennenzulernen.

Auf Invocatio, Intitulatio, Inscriptio und Narratio dieses seltsam an den feierlichen Verkündigungsstil mittelalterlicher Urkunden angelehnten Memorandums, das mein Großvater 1948 in einer Art Kinderdruckschrift auf kariertes Papier geschrieben und in die Stuttgarter Mörikestraße geschickt hatte, folgen familiengeschichtliche Informationen aus dem pfälzischen Kindenheim, die er für seine hochgestellte amerikanische Cousine vor Ort erforscht und niedergeschrieben hatte. Tatsächlich ist diese Geschichte noch heute erstaunlich vor allem durch die Großzügigkeit und Zutraulichkeit unserer (der Familie zuvor vollkommen unbekannten) amerikanischen Verwandten. Kaum war die Naziherrschaft niedergeworfen, erinnerten sich die Sieger daran, dass ihre Vorfahren vor Jahrhunderten aus Deutschland ausgewandert waren, und begaben sich auf eine menschenfreundliche Suche nach den Familien derselben Männer, die ihnen noch kurz zuvor an den Stränden der Normandie, in den mörderischen Heckenlandschaften Nordfrankreichs, in den

Ardennen und im Hürtgenwald mit ihrem »totalen Krieg« nach dem Leben getrachtet hatten. Sie brachten Lebensmittelpakete und Weihnachtseinladungen mit. Und nicht nur die Frau des Militärgouverneurs war mit uns verwandt und nahm Kontakt auf. Ebenfalls aus Evansville in Indiana meldeten sich zwei betagte Erbinnen eines Brauerei-Imperiums, das von im neunzehnten Jahrhundert ausgewanderten Hartmetz-Vorfahren aus dem pfälzischen Kindenheim in der Neuen Welt gegründet worden war und dort ohne unser Wissen all die Jahre seither floriert hatte. Betty und Elise Zutt, wie die beiden Wohltäterinnen hießen, schickten dem ehemaligen Nazi-Blockwart und seiner Familie in den Nachkriegsjahren fast dreihundert Lebensmittelpakete, nahmen meine Mutter auf eine *Grand Tour* nach Mailand und Florenz mit, die zu den Höhepunkten ihres Lebens gehört hat, und verschafften meiner Tante ihren ersten Job in den USA.

Es war Amerikas *finest hour*. Der Krieg gegen Nazideutschland war gewonnen. Stalins Sowjetunion war eingedämmt. Der Kapitalismus blühte. Jazz, abstrakter Expressionismus, modernistische Architektur, große Autos, verführerische Mode, ein schneller, ironischer Lebensrhythmus formierten von Amerika aus eine neue Weltkultur. Das großzügige, versöhnliche und menschenfreundliche Ideal des Niemanden-Ausschließens, von Schriftstellern wie Thoreau, Whitman und Emerson im späten neunzehnten Jahrhundert formuliert (und in den USA selbst, in den Südstaaten zum Beispiel, noch längst nicht durchgesetzt), war über den Ozean gereist. In seinem Namen hatte die amerikanische Armee unter schrecklichen Opfern für Ordnung gesorgt auf dem alten Kontinent. Und ihre höchsten Repräsentanten reichten einem ganzen Volk und jetzt eben sogar ganz besonders und höchstpersönlich dem besiegten Nazi Ernst Hartmetz die Hand, aus keinem anderen Grund, als dass er mit ihnen weitläufig verwandt war und man ihm seine politisch-moralische Verirrung nun nicht mehr nachtragen wollte. Es war der größte denkbare Gegensatz zu dem Schicksal, das der tote Führer der Deutschen einer angeblich gegen uns verschworenen Welt nach dem »Endsieg« zugedacht hatte. Man kann gut verstehen, dass die Familie am Zollberg mehr als verblüfft: dass sie *erschüttert* war. Zwar würden sich die politischen Ansichten meiner Großeltern bis an ihr Lebensende nicht mehr wirklich ändern. Aber wir waren trotzdem jetzt alle Amerikaner geworden.

Le style est l'homme même, und der Stil seiner schriftlichen Ausarbeitung stellt meinem Großvater bei aller Begeisterung für die neue Zeit und ihre deutschstämmigen amerikanischen Repräsentanten kein günstiges Zeugnis aus. Der kriecherische Ton seines Schreibens, die schlingernde Orthographie und Grammatik, die bombastischen Übertreibungen, die verunglückte Humorigkeit, die unvermittelt hervorbrechende Sentimentalität und schließlich die irgendwie impertinente völkische Umdeutung der nationalsozialistischen Kriegsniederlage als Kollateralschaden einer transkontinentalen Familienzusammenführung schienen mir beim wiederholten Lesen und schließlich Abschreiben dieser Sätze einen unausgeglichenen, halbgebildeten, prätentiösen und autoritären Charakter vorzuführen. Einen Menschen, mit dem man möglichst nichts zu tun haben will.

Ich würde aber mit ihm zu tun haben, und sogar sehr viel. Nicht nur, weil Ernst Hartmetz dann paradoxerweise ein sehr warmherziger, zugewandter, engagierter und humorvoller Großvater war, der mit mir spazieren ging, als ich klein war, mir unermüdlich Geschichten erzählte, mir Flöten aus Haselnusszweigen schnitzte und dessen düsterfaszinierende »Werkstatt« im Souterrain jenes Hauses am Zollberg (wo er noch mehrere, dann allerdings nicht mehr erfolgreiche Patente ausarbeitete) ein Kindheitsinbild geheimnisvoller Kreativität war, in der ich mich jedesmal ausführlich umsah, wenn ich endlich einmal wieder mit meiner Mutter die Verwandtschaft in Esslingen besuchen durfte. Aber wirklich und ernsthaft zu tun bekommen habe ich mit ihm nicht als Kind, sondern erst später, als er schon tot war, und auf dem Umweg über die Seele meiner Mutter, deren Kunst, ebenso wie ihre hurrikanartige emotionale Unberechenbarkeit, ohne meinen Großvater (und damit ohne die Geschichte von Aufstieg, Untergang und Fortleben der nationalsozialistischen Bewegung in Esslingen am Neckar) nicht zu verstehen sind.

Brief über den Vater

Es war in den frühen achtziger Jahren. Im zurückliegenden »roten Jahrzehnt« hatte meine Generation die Tragödien der Weimarer Republik und der Nazizeit in neurotischen und scheinhaften Inszenierungen noch einmal auf die Bühne gebracht, bevor der Jahrhundertspuk des Weltbürgerkriegs 1989 dann plötzlich vorbei war. Aber bereits um das Jahr 1980 herum kündigte sich etwas grundlegend Neues an. Deutsche Kunst wurde in Tokio, London und New York ausgestellt und verkauft. Man sah plötzlich extravagant gekleidete junge Frauen auf der Straße und in den Diskotheken, die den Kleiderschrank ihrer Mütter geplündert hatten und die Eleganz der fünfziger Jahre kopierten. Ich war aus dem »MSB Spartakus« ausgetreten und kaufte mir vom ersten selbstverdienten Geld einen guten Anzug. Ich las »Erfahrungshunger« von Michael Rutschky. In der Stuttgarter Innenstadt machten »Bistros« auf. Und eine Panikattacke, die nach einem Joint an einem späten Herbstabend des Jahres 1979 wochenlang nicht mehr aufhören wollte, hatte Ängste und Identitätsverluste an die Oberfläche meines Bewusstseins gespült, die über verschiedene innere Stationen zurückgingen (wie sich zeigen würde) auf die Esslinger Nachkriegszeit. Ich hatte das Gefühl, verrückt zu werden oder es vielleicht schon zu sein. Sie könne mir meine Angst, gerade einer ernsthafteren psychischen Störung entgegenzugehen, nicht ganz nehmen, sagte die Dame in der psychologischen Beratungsstelle der evangelischen Landeskirche, an die ich mich in meiner Verzweiflung gewandt hatte, und schrieb mir die Adresse eines Analytikers auf. Aber so real andererseits mein Leidensdruck in diesen Herbstmonaten wurde und so gewissenhaft ich mich dann für Jahre auf die Couch legen sollte – psychoanalytisch orientierte Therapien anzufangen war damals auch eine Mode in Deutschland. In der massenhaften psychoanalytischen Neubewertung und Neuformatierung des eigenen Lebens warf das Zeitalter des Lebenskonstruktivismus seine Schatten voraus. Wir erlebten eine zweite Zivilisierungsbeschleunigung nach der ersten in den späten vierziger und frühen fünfziger Jahren. Und die Psychoanalyse (die wir schon aus den Filmen Woody Allens kannten) gehörte irgendwie dazu.

Meine Mutter, die an meinem Leben von jeher leidenschaftlichen Anteil nahm und sich sowieso immer interessiert hatte für »Psychologisches«, wie sie es nannte, war (obwohl sie natürlich wusste, dass in jenen Sitzungen auch unsere gemeinsame Frühgeschichte auf den Prüfstand kommen würde) fasziniert und geradezu begeistert von dieser neuen Entwicklung ihres geliebten und von ihr auch intellektuell als sehr unterhaltsam empfundenen »Stephel«, und außerdem wohl erleichtert darüber, dass meine marxistisch-leninistische Phase jetzt endgültig der Vergangenheit angehörte. Und so ließ sie sich bei meinen Besuchen und in langen Telefongesprächen über die Fortschritte meiner Analyse berichten. Dass die eigenen Kinder sich einer Psychoanalyse unterziehen, kann, neben Verunsicherung und Schmerz, ja überhaupt einen gewissen narzisstischen Kitzel auslösen. Ein New Yorker Witz, in dem alte jüdische Damen mit den Liebesbeweisen ihrer Söhne prahlen (»er kauft mir ein Haus, er hat mir ein Auto geschenkt«), bringt diese Selbstbeschäftigung aus zweiter Hand auf den Punkt. Denn eine dritte Dame deklassiert alle von ihren Freundinnen angeführten Großtaten ödipaler Devotion durch die Mitteilung, ihr Sohn gehe fünfmal in der Woche zu einem *shrink*. »Und wisst ihr, worüber er da die ganze Zeit redet? Über seine Mama!«

Dabei kann man über derlei gar nicht wirklich reden. Berichtet man Unbeteiligten vom psychoanalytischen Übertragungsgeschehen, tippen sie sich häufig wohl innerlich an die Schläfe. Nun gut, sagen sie sich insgeheim, während sie das Thema zu wechseln versuchen, es mag ja sein, dass seine Mutter in seiner frühen Kindheit eine Atmosphäre ödipal-narzisstischer Verwöhnung aufgebaut hatte, die sie unterm Druck äußerer Umstände nicht mehr aufrechterhalten konnte und die sich plötzlich auflöste, als er ins Grundschulalter kam, worauf er sich zurückzog, wunderlich wurde und Größenphantasien, Verschmelzungssehnsüchte und Vernichtungsgefühle in seinem Inneren zerstörerisch kämpften. Es wird sicher auch nicht das psychologisch Gescheiteste gewesen sein, dass seine Mutter ohne seinen Vater für fast ein Jahr mit ihm nach Amerika gereist ist, als er zwei Jahre alt war. Und es mag sich ja so verhalten haben, dass sein narzisstisches Größenselbst nicht phasengerecht enttäuscht wurde, sich abspaltete und seither unerlöst in seinem psychischen Apparat umhergeistert. Aber das ist doch jetzt vorbei. Er sollte sich zusammenreißen. So ähnlich denken Zuhörer von Selbstoffenbarungen eines Psychoanalysepatienten, wenn er den Fehler begeht, sie ins Vertrauen ziehen zu wollen. Sie wissen ja nichts von der *talking cure*, die am Übertragungsgeschehen Unbeteiligten, und man soll sie über die Gefühlsstürme, die im Verlauf des Erinnerns und Durcharbeitens wiederbelebt werden, auch möglichst nicht allzu eingehend informieren oder sie gar von den eigenen Schmerzen überzeugen wollen. Man präsentiert sich der Außenwelt am besten überhaupt erst wieder, wenn Einsicht und Vernunft sich einigermaßen durchgesetzt haben. Deshalb nur so viel: Ich hätte nichts, was mein Leben heute ausmacht, ohne diese seltsame, Jahre in Anspruch nehmende (im Kern vielleicht irgendwie magische) Operation erreicht und wäre in einem unglücklichen und bitteren Leben verwahrlost.

Die Urkatastrophe meines inneren Lebens allerdings – die schockartig-traumatische Vertreibung aus dem ödipalnarzisstischen *fools paradise* meiner frühen Kindheitsjahre – hatte natürlich sehr viel mit meiner Mutter zu tun. Insofern gingen die Gespräche jener Jahre auch ihr sehr nah. Und es stellte sich zwischen uns schnell heraus, dass ihr Anteil an meiner narzisstischen Störung letztlich zurückgegangen ist auf ihr Verhältnis zu der wichtigsten Figur ihrer eigenen Kindheit und Jugend – nämlich auf ihre pathologische Liebesverstrickung mit dem inneren Leben des Esslinger Blockwarts Ernst Hartmetz, ihres Vaters. Die Verschmelzungsgefühle der frühen Kindheit – eine »ozeanische« Verbindung mit der ganzen Welt und besonders das Einssein mit der idealisierten Mutter – sind eine innere seelische Brennkammer, in der die Liebes- und Arbeitsfähigkeit eines Menschen entsteht. Ihre Hintergrundstrahlung ist in aller Kunst und in allem qualifizierten Nachdenken bei genauerem Hinsehen nachweisbar. Das Drama traumatischer Frustration und

Verdrängung dieses psychischen Ursprungsmoments durch ein uneinfühlsames Familienmilieu hat sich, wie sich zeigte, auch im Leben meiner Mutter mit krankmachender Wucht abgespielt. *They fuck you up, your mom and dad.* Jetzt aber versuchten wir, indem wir unsere Erinnerungen und Gefühle zusammenlegten wie Teile eines Puzzles, gemeinsam herauszubekommen, was uns damals miteinander passiert war. Und so hat, eingelegt in eins meiner Tagebücher aus dieser innerlich turbulenten Zeit, sich ein Brief erhalten, den meine Mutter nach einem langen Telefongespräch an einem Samstagnachmittag im Sommer 1981 an mich geschrieben hat. In ihm wird die haarsträubende psychologische Dynamik zwischen ihr und ihrem Vater so hautnah und glaubhaft dargestellt (auch in der eigenen Kleinlichkeit, fast Dummheit; dergleichen scheint für Familienkämpfe, wie sie sie schildert, typisch zu sein), dass ich beim Abschreiben mehrmals von meinen Gefühlen übermannt wurde. Zusammen mit einem längeren Bericht über die von unseren amerikanischen Verwandten gesponserte Florenzreise, in dem meine Mutter ein der Kunst gewidmetes Leben utopisch entwirft, ist dieser Brief das kostbarste Dokument unserer familiären Verschränkung, unserer sich überlagernden Seelen, die, solange meine Mutter lebte (und sogar darüber hinaus), miteinander korrespondierten und so vielfältig ineinander verschoben waren wie die Segmente eines ausziehbaren Teleskops.

Lieber Stephel, *Juni 81*
es ist Samstagabend, nach unserem Tel. Gespräch, in dem Du mich gebeten hast, Erinnerungen über meinen Vater aufzuschreiben. Ich hab starke Widerstände dagegen, aber es schien

Dir wichtig zu sein u. ich hatte kürzlich einen Traum von ihm, der ihn aufwertete und nach dem ich dachte: vielleicht will mir mein Unbewußtes damit sagen, daß er eigentl. eine bessere Einschätzung verdiente. Er war über ein Schriftstück gebeugt und sagte: »Ach, ich habe den Bericht noch gar nicht gelesen, den der G. mir geschickt hat.« Das war alles, aber die Vorstellung, daß mein Mann an meinen Vater schreiben würde, ihm etwas von sich mitteilen würde, war mir im Wachsein so absurd, daß mir erst klar wurde, wie völlig beziehungslos und geradezu taubstumm unser Verhältnis zu ihm war. Wir hatten uns überhaupt nichts zu sagen, und wenn wir es taten, dann meist um uns wehzutun u. bestenfalls um aneinander vorbeizureden. Er war im Alter völlig in sich versponnen und ich glaube ganz unfähig, sich in andere einzufühlen, schon seit vielen Jahren kriegte er alles in den falschen Hals und reagierte meist so sonderbar und verquer, daß ich mich hütete, irgend etwas vor ihm zu äußern, was mir wichtig war. Aber vielleicht hab auch ich ihn nicht verstanden und zuviel Ungutes in ihn hineingedacht, denn ich war ganz erstaunt, als L. + T. mal sagten, in ihrer Erinnerung sei der Opa ein großartiger Mann gewesen und B. sagte, als ich sie zuletzt sah, zu ihr wäre er nie wüscht gewesen u. hätte sie auch nie geschlagen.

Ich hab natürlich auch schöne Erinnerungen an ihn, sehr ferne allerdings. Einmal hatte ich mir sehr weh getan u. saß danach auf seinen Knien u. er erzählte mir das Märchen von den sieben Geißlein u. das war wunderbar tröstlich, ich sah dabei zum Fenster raus auf eine Trauerweide im Nachbargarten und eine Veranda mit bunten Glasfenstern, ein Blick, der immer angenehm meine Phantasie beschäftigte. Ich erinnere Sonntagmorgenspaziergänge zum Neckar und meine früheste u. glücklichste Erinnerung muß auf so einem Spaziergang gewesen sein, denn ich stand umgeben von grün glitzernden, sich wiegenden hohen Gräsern u. Wiesenblumen, summende Käfer u. Bienen flogen dazwischen, die Sonne durchfunkelte alles und ich hatte die Arme ausgestreckt und wollte alles »liebhaben«, weil es so schön war. Das Beglückendste daran war das Gefühl, eins zu sein mit dieser brausenden, durcheinanderwogenden, duftenden, farbensprühenden Welt, mitten drin und ein Stück von ihr zu sein. Und einmal machte er mit mir allein einen Rauhreifspaziergang u. ich erinnere mich noch an die roten Hagebutten in dieser sonst ganz weißen, kalten Welt. Ein Ostern mit Sonne in allen Zimmern u. einem großen Henkelkorb voll Süßigkeiten und Besuch und Spaß. Ich glaube wirklich, daß er uns kleinen Kindern ein guter Vater war, vielleicht weil wir da noch keine Opposition zeigten, vielleicht weil er da noch glücklich in seiner Ehe war.

Wie U. uns später erzählte (ich weiß nicht, ob es so war) war dann irgendwann vor B.s Geburt etwas mit einer jungen Nichte gewesen, die als Haustochter bei uns war. Wir waren, M. und ich, während B.s Geburt in Ruhla bei all den Tanten + Onkeln u. Mutti sagte, ich wäre gern dorthin gegangen, weil sie immer so viel geweint hätte u. ich lieber eine lustige Mutter haben wollte. Später hatte mein Vater viele Monate ganz schweres Ischias, mußte am Stock gehen u. hatte schreckliche Schmerzen, war in verschiedenen Krankenhäusern u. Bädern. Vielleicht war dies eine Art Selbstbestrafung für diesen Fehltritt, das sind alles nur Möglichkeiten, jedenfalls war er in dieser Zeit sehr übellaunig und schlecht zu haben und langsam bildete sich in der Familie die Ansicht, oder übernahmen wir beiden älteren Kinder die Rollen, die uns dann innerhalb der Familie geblieben sind: M. das folgsame, liebe Kind, das gewissenhaft u. fleißig war (z. B. ihre ganze Schultafel wieder auslöschte, weil der Vater einen Buchstaben beanstandet hatte) u. das fast immer in der Woh-

nung blieb. Ich dagegen war die freche Gasselrandel, die vorlaute Antworten gab, in der Schule ständig Tatzen kriegte, die Groschen aus dem Garderobenschränkchen stahl, um sich Wundergückle zu kaufen (fehlende Liebe?) u. mehr mit den anderen Kindern in dem riesigen Obstgarten hinter dem Konsum war als daheim. Wegen dem Klauen hatte ich fürchterliche Schuldgefühle u. eine gräßliche Angst vor Gespenstern, sobald es dunkel wurde, was mich aber nicht hinderte, tagsüber muckenfrech zu sein. Ich erinnere mich an den Besuch einer Nachbarsfrau bei meiner Mutter, der Mutter einer Mitschülerin, die sich beklagte, daß ich ihr die Zunge herausgestreckt hätte vom Küchenbalkon u. daß sie nicht erlauben würde, dass ihr Emmale in der Schule neben mir sitzen würde. Meine Mutter beging die psychologische Dämlichkeit, mich vor der Frau zu verhauen u. sobald sie gegangen war, mit unserem Dienstmädchen über sie zu schimpfen u. mich in Schutz zu nehmen, was mich maßlos verblüffte u. jegliche pädagogische Wirkung auf mich verpuffen ließ. Als das Konsumgebäude gegenüber fertig war, gab es eine große Lebensmittelausstellung, die mich u. andere Kinder sehr faszinierte, weil es allerlei Kostproben gab. Ich streunte eines Abends dort herum u. vergaß die Zeit, als ich rauskam, war es schon dunkel u. meine Eltern hatten sich Sorgen gemacht, was sich bei meinem Vater in erbarmungslosem Zuschlagen entlud u. dann knuffte er mich ins dunkle Schlafzimmer, obwohl er wußte, daß ich gräßliche Angst vor Gespenstern hatte. Ich weiß nicht, wie lange ich da stand und mich vor Angst nicht zu rühren wagte. Er war auch dumm oder grausam genug, uns gräßliche, angstmachende Geschichten zu erzählen, von der mir vor allem die vom Mäuseturm und von Prometheus u. dem Adler im Gedächtnis blieben oder ekelhafte Sachen von Spinnen. Ich weiß nicht, ob er sich dabei etwas gedacht hat.

Einmal mußten ich u. M. an einem frühen Herbstabend noch was wegbringen. Es dunkelte u. wir waren sehr albern, lachten u. schrien u. mein Vater hörte uns schon von weitem u. fand das ungehörig, jedenfalls kamen wir in der besten Laune heim u. hatten keine Ahnung, warum wir Dresche von ihm kriegten. Aus irgendeinem Grund muß ich ihn immer besonders gereizt haben, denn ich kann mich an nur wenige Male erinnern, dass er auch M. geschlagen hat, u. B., wie gesagt, nie.

Herrlich fanden wir immer, wenn er von seinen Lausbubenstreichen erzählte, er hatte noch 2 Brüder + eine Schwester. Von seiner Mutter weiß ich überhaupt nichts, ich glaube er hat sie nie erwähnt, was ja auch höchst seltsam ist. Die Eltern + die Schwester starben schon vor meiner Geburt, u. den einen Onkel hab ich auch nie gesehen. Die Streiche endeten auch immer mit einer Tracht Prügel von seinem Vater, der einer der damals üblichen Dorfschullehrer-Wüteriche gewesen sein muß.

Vor B.s Geburt, ich kann also höchstens 5 gewesen sein, fand es mein Vater dann auch nötig, M. u. mich aufzuklären. Ich weiß noch, daß er uns einen Penis zeichnete, den ich schon von Zeichnungen auf dem Schulklo kannte und uns kitschiges Zeug von Ständchen erzählte, bei denen sich aber ein anständiges Mädchen nicht zeigen dürfe. Damals war das alles noch kein Gegenstand meiner Neugier, ich bekam nur einen Mordsschreck bei der Vorstellung, daß da ein ganzes Kind aus dem kleinen Loch herauskommen soll. Ein Entsetzen, das sich wenig später noch vertiefte bei den Schilderungen, die meine Mutter in unserem Beisein ihren Freundinnen von B.s Zangengeburt gab. Ich nahm mir vor, nie zu heiraten, damit ich keine Kinder bekommen müßte.

Damals fing ich auch an, mich zu genieren, weil meine Mutter so dick war u. es war mir schreckl. peinlich, wenn mein Va-

ter pfälzische Straßensänger, die damals öfters kamen, mit dem Ruf begrüßte: »Sein er Landsleut?« Ich war nie stolz auf meine Eltern, ich hab mich immer ein bißchen für sie geniert und hatte immer deshalb ein schlechtes Gewissen. Furchtbar empört hat es mich, als mir mein Vater einmal an meinem Geburtstag eine runterhaute. Alles das war noch in Oberesslingen, also vor meinem 9. Geburtstag. Damals machte ich mir natürlich noch keine Gedanken über den Charakter meines Vaters, ich nahm ihn wie Sonnenschein u. Gewitter, aber in meinen ambivalenten Gefühlen, die jedes Kind seinen Eltern gegenüber hat, überwog doch immer mehr die Angst vor ihm. Meine Mutter in ihrer nüchtern-positiven Einfachheit war da ein guter Ausgleich. Im ganzen fand ich das Leben damals noch sehr schön und interessant, ich hatte nie Probleme mit anderen Kindern – die kamen bei mir erst später – spielte mit Hingebung auf der Straße, die damals noch ganz uns Kindern gehörte. Weihnachten war immer wunderschön, Ruhla ein Paradies, mit 4 hatten wir einen schönen Urlaub in der Pfalz, überhaupt, der Glanz meiner Ur-Erinnerung in dem Wiesenblumenwald war noch nicht ganz verschüttet, doch erinnere ich auch, daß mich meine Mutter in Tränen aufgelöst über einem Bild von der Hölle fand, weil ich ganz sicher war, daß ich da rein käme. Alles Sexuelle müssen sie mir damals schon ganz schön vermiest haben, ich merkte auch, daß meine Mutter immer in Abwehrstellung ging, wenn mein Vater sie mal in den Arm nahm und wenn ich von anderen Kindern was darüber hörte, hatte das immer mit [unleserlich] oder anderen gefährlichen oder peinlichen Umständen zu tun. Ich hatte ja auch keinen Bruder oder Vetter oder Nachbarsjungen, an dem sich meine Vorstellungen hätten normalisieren können. Auf jeden Fall war es etwas Verbotenes und Schlimmes. Unsere Eltern schickten uns jedes Jahr in irgend so ein blödes Kinder-

heim. Mit 6 Jahren schon mußte ich mit M. Solbäder in Schwäbisch Hall nehmen. Mit 7 war ich in Herrenberg u. hatte da meinen ersten Freund. Er aß immer meine Schleimsuppe, damit ich von den Schwestern nicht geschimpft wurde und er nannte mich Dornröschen, aber ich war schon damals voller Abwehr, obwohl er mir eigentlich gefiel. Mit 8 war dann die Geschichte auf Sylt, nachdem für mich Sexuelles für immer mit öffentlicher Blamage und sozialer Degradierung gekoppelt war. Von dort erinnere ich noch ein Anderes, das zeigt, wie verkorkst sie mich damals schon hatten: ein Kind mußte immer dafür sorgen, daß ein Nachttopf in seinem Schlafsaal war. Als die Reihe an mir war, genierte ich mich so sehr, daß ich es unterließ. Nachts mußte ich dann entsetzlich aufs Klo, ich weiß noch, daß ich erwog, aufs Fensterbrett zu klettern und rauszupinkeln, ich weiß nicht mehr, wie ich das Problem dann löste.

Damals knobelte er an seinem Patent herum u. war wohl auch deshalb ungeduldig, er alberte aber auch mit uns und wir spielten mit ihm Sonntags. Er hat viel weniger gelesen als wir und hatte deshalb mehr Zeit für uns, obwohl er nicht uninteressiert war u. auch viel wußte, man konnte ihn eigentlich immer fragen. Er brachte uns auch immer was mit von seinen Reisen. Nach seiner und der allgemeinen Ansicht gehörte eine ordentl. Tracht Prügel durchaus zu den förderlichen Erziehungsmitteln, er war ja nichts anderes gewohnt und Luthers entsetzliches Wort, daß er lieber einen toten als einen ungehorsamen Sohn haben wolle, konnte noch durchaus die Zustimmung eines ehrenwerten deutschen Familienvaters finden. Ihr macht Euch gar keine Vorstellung, wie umwälzend sich die Meinungen über fast alle Dinge im Laufe unseres Lebens gewandelt haben. »Antiautoritär« wäre damals fast gleichbedeutend mit blasphemisch gewesen. Gerne denke ich daran, wie er uns Sonntagmorgens in Raten »Peterchens Mondfahrt« vorlas, überhaupt hörten wir Märchen u. Lieder nur von ihm, nicht von meiner Mutter.

1932 trat er in die N.S.D.A.P. ein. Später trat er wieder aus, ich weiß nicht, warum. Dann streikten die kommunistischen Arbeiter in der Gießerei, die er leitete u. die Gießerei wurde geschlossen, wahrscheinlich waren die Index-Werke auch zu groß geworden. Er wurde dann Prokurist bei Hahn + Kolb in Stuttgart, denen er auch sein Patent verkauft hatte. Wenn er es selbst produziert hätte, wäre er wahrscheinl. Millionär geworden. Diese Dinge liefen aber, als wir schon am Zollberg wohnten.

Eine der hervorstechendsten Eigenschaften meines Vaters war seine Beeinflußbarkeit. Bei dem Bau seines Hauses richtete sich viel mehr nach den Ratschlägen anderer Leute als z. B. nach den Wünschen meiner Mutter. Typisch dafür war sein Wankelmut in seinen politischen Anschauungen (deshalb war es auch so schwer, sich mit ihm zu identifizieren, also ein stabiles Identitätsgefüge zu entwickeln). Die Nazis hat er – wie fast alle – begeistert begrüßt. Obwohl er Kirchengemeinderat war, ging er mit seiner S.A. Uniform in die Kirche. Einmal nahm er mich mit zu einer Besprechung mit unserem Pfarrer, wo es um die Maßnahmen der »bekennenden Kirche« gegen die Nazi-Bevormundungen ging. Wenig später sagte er – nachdem er Mathilde Ludendorffs »Lebensquell« gelesen hatte – Gott wäre eine Erfindung der Juden und sagte meiner Mutter, er würde den Pfarrer die Treppe runterschmeißen, wenn er rauf käme (als der einen Krankenbesuch bei ihm machen wollte) wobei er meine Mutter natürl. in eine beneidenswerte Lage brachte. Einmal machte er ein Riesentheater, wenn wir erst um 1 von einer Tanzerei heimkamen, ein andermal fragte er voll Freundlichkeit, wie's gewesen wäre, wenn wir erst um 4 kamen. Bevor ich auf die Oberschule kam, fand er einmal ein Heft von mir mit vielen roten Korrekturen und tobte herum wie ein besoffener Gorilla, schrie, er würde doch keinen Idioten großziehen u. er würde mich wieder abmelden von der Oberschule, er wolle sich doch nicht vor der ganzen Stadt blamieren. Natürlich war er nicht so konsequent u. ich hatte dann von 70 Kindern das beste Ergebnis bei der Aufnahmeprüfung. Er hatte ein völlig unausgeglichenes Affektleben u. aus einem mir unbekannten Grund war ich das geeignetste Objekt für seine Aggressionsabfuhr. Nach u. nach spürte ich das immer mehr. Das Gefühl, von meiner Familie abgelehnt zu werden, machte mich auch anderen gegenüber scheu und befangen. Als Ausgleich fing ich an, in mich hineinzufressen und wurde dick und häßlich. Mit 12, 13 war ich so von meiner Häßlichkeit überzeugt, daß ich immer froh war, wenn es regnete und ich mich hinter den Scheiben verstecken konnte. Sehr enttäuscht war mein Vater auch, daß wir keine BDM-Führerinnen wurden, erst B. war später auch darin nach seinem Geschmack. Das Einzige, was er an mir anerkannte, war mein Zeichnen, das, wie mir heute scheint, eine Verschiebung und Sublimierung meines völlig verdrängten sexuellen Trieblebens war. Diese Zeit, zwischen 12 u. 14, war die schlimmste in meinem Leben. Manchmal fürchtete ich im Ernst, ich wäre verrückt. Ich fing an, mich in eine Phantasiewelt einzuspinnen, die immer weniger mit meinem tatsächlichen Leben zu tun hatte. Ich malte oft Tulpenzwiebeln u. stellte mir vor, ich wäre die Seele der Tulpe und hätte es da unter der Erde warm und gemütlich. Wahrscheinlich eine Kompensation für die völlige Ungeborgenheit in meiner Familie. Ich las viel und wenn wir mal einen Film ansehen durften, lebte ich wochenlang in dieser anderen Welt. Mit 11 durfte ich mal wieder nach Ruhla u. freundete mich mit S. an. Ein Jahr später kam sie zu uns. Sie war damals 20 und ging viel aus u. eines Tages vertraute sie mir ein Geheimnis an, das ich keinem erzählen durfte – was ich auch gehalten habe. Sie hatte sich heimlich verlobt u. daß nur ich es wußte, machte mich sehr stolz u. half mir irgendwie enorm. In der Zeit wurde M. plötzlich hübsch. Ich hatte sie immer für besonders doof gehalten, mußte oft sie gegen andere Kinder verteidigen, obwohl sie älter war und plötzlich, von einem Tag auf den anderen, war sie die Überlegene. Sie bekam Dauerwellen, während ich meine doofen langen Zöpfe nicht abschneiden durfte, weil mein Vater eine germanische Blondmaid haben wollte. Nun kam ich völlig ins Hintertreffen und mein

Vater + M. ließen mich das grausam spüren. In einer Mädchentanzstunde machte ich eine völlig unglückliche Figur während [fehlender Textteil]. Ich muß damals eine ausgewachsene Neurose durchgemacht haben, wenn ich in der Schule ein Gedicht vortragen mußte, zitterten mir die Knie vor Angst, ausgelacht zu werden. In der Überzeugung, ganz minderwertig zu sein, stellte ich alle Anderen weit über mich und wurde so »self-conscious«, daß ich mich nicht mehr getraute, den Mund aufzumachen. Meine Eltern machte das nur ungeduldig. Mein Vater nannte mich verächtlich »den Eigenbrötler«, ohne sich mal zu überlegen, woher das käme. Ich las die deutschen Heldensagen und Hermann Löns u. die Schatzinsel u. Nils Holgerssons seltsame Reise mit den Wildgänsen, irgendwo versteckt auf der Bodentreppe u. gab keine Antwort, wenn man mich rief. Ich hatte nur noch 1 Freundin, die M. F., meine Zeugnisse waren nicht schlecht, besonders im Aufsatz war ich gut, umso schlimmer war ein Erlebnis: wir schrieben einen Aufsatz, ich weiß das Thema nicht mehr, wo ich Ruhla schilderte und dabei uferlos ins Schwärmen geriet. Diesen Aufsatz zerpflückte unser Lehrer vor der ganzen Klasse, machte sich über jeden Satz lustig und mokierte sich über all die Dinge, die zum Besten gehörten, was ich im Leben damals hatte. Das hat mich natürlich immer verschlossener gemacht, auch meine Erfahrungen in der Familie verdichteten sich in mir zu der Überzeugung, »Du darfst nie deine Gefühle zeigen, sonst lachen sie

dich aus«. Als ich 13 war, bekam ich ein Fahrrad, am Karfreitag fuhr ich damit allein nach Denkendorf, als ich heimkam, herrschte Grabesstimmung, mein Vater hatte mal wieder einen Jähzornsausbruch gehabt und diesmal M. (ich war ja nicht da) fürchterlich verhauen, der Grund war fast immer belanglos, entweder brauchte er einfach hin + wieder so eine Aggressionsabfuhr, oder er war auf einem ganz anderen Gebiet frustriert worden u. ließ es dann an uns aus. Meine Mutter hat dann tagelang nicht mehr mit ihm gesprochen u. er war dann hinterher windelweich u. es tat ihm leid. Mir kam er dann immer vor wie ein unberechenbares Monster, dem man möglichst aus dem Weg gehen sollte. Überhaupt genossen wir es immer sehr, wenn er verreist war, wir machten es uns dann immer richtig gemütlich u. lustig mit meiner Mutter. Ich glaube, er war auch als Vorgesetzter nicht beliebt, wahrscheinl. war er viel zu unsachlich. Damals hatten wir das Haus abbezahlt, er verdiente gut und war in Geldsachen immer großzügig. Mit 14, 15 begann ich mich herauszurappeln aus meiner Weltflucht, war in der Klasse wieder anerkannt, ging auf Fahrten mit dem BDM und lernte allmählich, mich günstiger anzuziehen, B. u. ich machten eine Tanzstunde mit Ingenieursschülern u. ich war plötzlich nicht mehr das unbeachtete, angstparalysierte Mauerblümchen neben meiner schönen, koketten Schwester (ich hatte eine Hungerkur gemacht) und fand nun ebenfalls Beachtung. Natürlich ging ich weiterhin jeder drohenden Zärtlichkeit von Jungen aus dem Weg u. war höchlich verwundert, wenn die nach einiger Zeit den Eindruck hatten, ich machte mir nichts aus ihnen.

Aber das ist wieder ein anderes Kapitel, obwohl es natürlich eng mit meinem Vater zusammenhängt. Ich glaube, er hatte für einen Mann ungewöhnlich viel Gefühl, aber die Äußerungen davon berührten mich meist kitschig und peinlich, er schien mir oft schrecklich sentimental, so in der Art rührseliger Volkslieder. Das war etwas, wogegen ich mich innerlich immer wehrte. »Das verlassene Mägdlein« von Mörike war sein Lieblingsgedicht, das wollte er immer von mir illustriert haben, wozu ich gar keine Lust hatte. Mir schien diese Rührseligkeit kraß abzustechen von seiner ungeduldigen, wüschten Art bei jeder Kleinigkeit aus der Haut zu fahren. Obwohl er doch technisch begabt war, hatten wir immer Angst, ihn etwas reparieren zu lassen, weil er gleich beim kleinsten Hindernis anfing, auf pfälzisch zu fluchen. Kein Heiliger Abend ohne vorheriges Gewüte weil die elektrische Kerzenanlage nicht funktionierte. Aus allem machte er ein Drama u. dann waren alle schuld, nur er nicht. Vor allem meine Mutter bekam dann zu hören: warum hast du dies nicht u. warum hast du das nicht. Deshalb wollte sie ja auch eine Grabschrift: »sie war an allem schuld«. Weihnachtsgeschenke kaufte er meist 1 Tag vor Weihnachten u. sie waren immer stupende Beweise für sein atrophiertes Einfühlungsvermögen. Mutti kaufte er meist Haushaltsmaschinen, die er mal ausprobieren wollte u. die sie nie benützte, oder »Das Leben der weißen Ameise« u. andere Bücher, die er gern lesen wollte. So wie er unberechenbar reagierte, so war er auch nie berechnend. Geld war ihm nicht wichtig. Er schenkte gern (wenn auch meist das Falsche) und großzügig. Als ich ins Lettehaus wollte, war er sofort bereit, diese teure Privatschule zu bezahlen oder mich nach Wien fahren zu lassen, um mit Prof. Kirnig zu sprechen. Für sich hat er sehr wenig ausgegeben, höchstens Bücher, die ihn interessierten. Kleider nur unter großem Geknurr. Hüte u. Schirme verlor er grundsätzlich nach einer Woche u. obwohl er Kunst u. Können jeder Art bewunderte, hatte er wenig Geschmack u. Urteil, ich glaub er war ziemlich musikalisch, aber auch nur auf bescheidenem Niveau, ganz ungeschult, er ging nie in ein Konzert oder ins Theater, während meine Mutter jahrelang eine Miete am Stuttgarter Theater hatte u. uns Kindern immer begeistert erzählte, was sie gesehen hatte. Ganz rührend war er später mit seinen Enkeln, vor allem mit Dir, aber da war unser Verhältnis schon so kaputt und ich stand unter der Vorstellung, daß er Dir genauso schaden könnte wie mir, aber das war wohl auch übertrieben von mir.

In der Hartmetz-Familie setzte man sich nie zusammen, um etwas ausführlich zu diskutieren wie wir das manchmal tun, z. B. politische Ansichten. Ich weiß nicht, welche Begründung mein Vater hatte, ein Nazi zu sein, falls er überhaupt welche hatte, ich weiß nicht, was er nach dem Zusammenbruch seiner politischen Ideale dachte. In unserer Familie wurde nur gejammert darüber, was aus dem deutschen Volk nach so vielen Opfern geworden war, was wir den Juden angetan hatten, wurde nie erwähnt. Wir wollten ja nur das Beste u. mein Vater hatte als Ortsgruppenleiter doch nur den Menschen geholfen, den Ausgebombten und Kriegerwitwen, er hatte alles, was er mit seinem Patent verdient hatte (u. da es in der Rüstungsindustrie gebraucht wurde, waren das Unsummen) in Reichsanleihen gezeichnet u. nun behandelte man ihn wie einen Verbrecher u. steckte ihn ½ Jahr in ein Lager. Ich bin überzeugt, daß er selbst nichts Unrechtes getan hat, aber über wieviel Unrecht sah er hinweg! Ich höre ihn noch sagen: »wo gehobelt wird, fallen Späne«, »im Krieg darf man nicht zimperlich sein«, u. die Haare standen mir zu Berge, als er 1946 zu einem vertriebenen Letten sagte: »Wenn der Führer nicht den Krieg begonnen hätte, wäre er der größte Mensch aller Zeiten gewesen.« Und Tante M. war auch darin unfähig, sich eine eigene Meinung zu bilden, sie tutete noch in den 60er Jahren ins gleiche Horn. Sie fühlten sich alle als Opfer, obwohl sie weder Menschen noch Besitz verloren hatten.

Mit dem Alter wurde er immer wunderlicher, auch M. u. B. (die ja 1948 nach Amerika ging, aber 2x einige Monate kam) und seine Frau nahmen ihn nur noch als komische Figur, trotzdem mußte er immer als Autorität behandelt werden. Nachdem sie sich bei uns über ihn beklagt u. oft genug mokiert hatte, sagte sie jedes Mal: »Sagt nichts, um Gottes Willen, sagt nichts«, anstatt daß sie sich mal mit ihm auseinandergesetzt hätte. Er mäkelte an allem herum, außer an seinen 2 Lieblingstöchtern, die konnten nichts falsch machen, alles Schlechte projizierte er auf mich u. natürlich Deinen Vater. Er regte sich auf, wenn der Sonntags länger schlief, wenn noch Wäsche von uns auf dem Balkon hing, wenn ich ihn bat, doch anzuklopfen, wenn er in unser Zimmer kam. M. schrie von oben herunter, ich solle die Küchentür zumachen, sie könne den Gestank von unserem Essen nicht mehr aushalten. Eines Tages kam Frau L., unsere gemeinsame Putzfrau weinend u. sagte, Herr Hartmetz hätte ihr verboten, den Staubsauger für uns zu benutzen. Er wußte genau, daß wir uns keinen kaufen konnten. Als eine Verwandte ein Paket aus Amerika schickte, war das Einzige, was wir daraus kriegten, eine Packung Haferflocken, dabei ging es allen außer uns finanziell prächtig, während wir meine Schwerkriegsbeschädigtenrente, damals 50 DM, und von G.s Vater 30 DM hatten. Später, als Vati dann an der Dolmetscherschule arbeitete, mussten wir auch Miete zahlen. Der Sündenbock (ich)-Mechanismus spielte sich immer mehr ein, es war ja auch so entlastend für sie, alles Tadelnswerte an mir u. Vati zu sehen (dem das natürlich alles nicht so an die Nieren ging wie mir) und sich selbst super zu fühlen. Es verging kaum ein Tag, wo sie mir nicht eins reindrückten, z. B. hatte ich ein Telefon bekommen, weil ich als selbständige Grafikerin eins brauchte (es war damals sehr schwierig, eins zu bekommen). Natürl. benutzte es die ganze Familie mit u. eines

Tages, als ich anrief, antwortete es: hier Praxis Dr. B., da hatten sie es, ohne mich zu fragen, auf F. umschreiben lassen u. solche Dinge. Sicher war ich mit schuld an dem Verhältnis, aber andererseits war ich so hoffnungslos kräftemäßig in der Minderzahl, ich konnte ihnen nicht viel tun. Damals waren die Wohnungen noch bewirtschaftet, es waren viele Flüchtlinge unterzubringen, so daß es völlig aussichtslos war, sich um eine Wohnung zu bemühen, und wir hatten ja auch kein Geld.

In dieser Situation griff ich natürl. wie nach einem Rettungsanker nach B.s Einladung nach Amerika. Damals wußte ich noch zu wenig über Kinder um zu ahnen, daß Dir das schaden könnte: Als wir von dort zurückkamen, war mit einem Schlag alles anders. M. bemühte sich um ein besseres Verhältnis u. ich ging gern darauf ein. Meine Eltern hatten gedacht, ich würde überhaupt nicht mehr zu ihnen kommen, nachdem ich in Amerika erfahren hatte, wie schlecht mich M. bei den dortigen Verwandten gemacht hatte. Als ich dann zum 1. Mal mit Dir wieder zu ihnen kam, empfingen sie mich wie einen verlorenen Sohn u. ich gab mir auch Mühe, zu vergessen u. ein gutes Verhältnis zu ihnen zu finden u. das ist dann ja auch gelungen. Ich glaube, ihr Kinder habt nichts mehr von den vergangenen Kämpfen gemerkt. Meinem Vater gegenüber hab ich allerdings kein wärmeres Gefühl mehr aufbringen können, als ein mildes Mitleid mit seinem Alter u. ich sah ihn ja auch nicht mehr oft. Die letzten emotionalen Fäden zwischen uns waren damals endgültig zerrissen worden, als er mich – einige Monate vor meiner Verwundung, ich war 23!, besinnungslos zusammenschlug. Ich weiß nicht, ob ihr davon wißt. Ich hatte mir, nachdem B. im Arbeitsdienst war, unser gemeinsames Schlafzimmer als mein Wohnzimmer eingerichtet, weil ich abends, wenn ich von Stuttgart heimkam, allein sein wollte. M. hatte nun die Gewohnheit angenommen, alle Arbeiten, die Unordnung machten, dort zu verrichten. Einmal traf ich sie dort mit der Nähmaschine an, u. zu ihren Füßen saß L., inmitten von Stoffschnipseln u. damit beschäftigt, mein indisches Elfenbeinmesser zu zerbrechen. An jenem Abend kam ich müde von der Arbeit und fand sie in meinem Zimmer am Bügeln. Natürl. kriegte ich eine Wut und

fragte sie, ob sie das nicht in ihrem Zimmer machen könnte. Es gab einen Wortwechsel, den mein Vater unten hörte und ohne zu wissen, was los war, kam er heraufgestürzt u. fing an, auf mich einzuschlagen, bis ich in einer Ecke liegenblieb. Ich konnte wochenlang kein Kleid mit kurzen Ärmeln anziehen, ich hatte überall blaue Flecken. Das war das Ende zwischen uns. Ich wollte unbedingt ausziehen, aber es war durch die ständigen Luftangriffe ziemlich aussichtslos u. M. u. Mutti flehten mich an, es nicht zu tun. Was hätten auch die Leute dazu gesagt? Mein Vater lief tagelang herum wie ein geprügelter Hund und entschuldigte sich auch bei mir. Ich konnte ihn kaum mehr ansehen vor Haß u. bei allen späteren Auseinandersetzungen mit ihm stieg eine solche Welle der Ablehnung in mir hoch, ich dachte manchmal, ich könnt ihn ermorden. Einmal mußte ich mich richtig übergeben nach einem Streit u. einmal schnitt ich gerade Brot bei einem Wortwechsel mit ihm in der Küche und es ergriff mich eine solche Aggressionswut, daß ich mir ganz tief in den Finger schnitt.

Ich weiß nicht, ob es gut ist, daß ich Dir das alles geschrieben habe. Du hast eigentlich nur Grund mit guten Gefühlen an ihn zu denken u. ganz sicher trag ich auch viel Schuld an dem Verhältnis, obwohl ich nicht weiß, was ich nach Maßgabe meiner jeweiligen Möglichkeiten als Kind hätte ändern können u. später war alles so tief eingefressen, daß keiner von uns mehr frei handeln u. reagieren konnte.

Ich könnte Dir noch viel über ihn schreiben. Auch Gutes u. Liebenswertes, das war ja das Vertrackte an ihm, daß er ein so unentwirrbares, ungeordnetes Gewirr von Charakterzügen hatte, die sich zum Teil widersprachen, seine Weichheit u. seine Härte, seine Unbeherrschtheit und damit wieder sein Mut u. seine Gelassenheit, mit der er z. B. den französischen Soldaten entgegentrat, als ein Stoßtrupp vor der eigentlichen Besetzung Esslingens bei uns im Haus eindrang. Stolz war ich immer darauf, dass er im 1. Weltkrieg seinen Unteroffizier aufgefordert hatte, ihn am Arsch zu lecken, obwohl das ja auch eine Unbeherrschtheit war. Er ließ sich eben auch zum Guten hinreißen, half spontan u. war niemals kleinlich. Wahrscheinl. muß man seinen Eltern mehr Schuld geben als ihm und wenn man weit genug zurückgehen könnte und tief genug sehen, so würde man wohl gewahr werden, wie eingebunden, unfrei und bestimmt wir alle sind u. wo liegt eigentlich die Schuld? Wir müßten uns wohl alle gegenseitig viel, viel verzeihen.

Vielleicht kannst Du mich jetzt auch besser verstehen und nachsichtiger damit sein, was ich falsch gemacht habe. Es ist mir sehr bewußt und ich wünschte nichts sehnlicher, als es noch einmal anders und besser machen zu können. Ich hoffe darauf, daß ihr es bei Euren Kindern besser macht.

Ganz liebe Grüße
Mutti

Beim Durchlesen merke ich, wie wirr das alles ist, wieviel auch Wichtiges ich nicht geschrieben habe, aber das ist ja einfach zuviel. Wahrscheinl. hab ich Dir das Meiste davon schon erzählt. Ich schick's Dir halt jetzt mal so.

Die Legende vom Künstler

Obwohl sie inzwischen kaum mehr damit aufhören kann, hat Literatur erst spät damit angefangen, von der Kindheit zu erzählen. In den antiken Biographien, bei Plutarch oder Sueton, spielt die Kindheit des Helden überhaupt keine Rolle. Die modernen Berichte und Reflexionen über Kindheit und Jugend haben sich angekündigt und sozusagen in die Literaturgeschichte eingeschlichen mit einem Genre, das zu seiner Entstehungszeit so klein und unbedeutend war wie die Säugetiere in der Dinosaurier-Ära – mit der »Legende vom Künstler« (wie die einschlägige Monographie von Ernst Kris und Otto Kurz heißt). In den antiken Erzählungen über den Werdegang des Lysipp, in denen sich die Motive der Künstlerbiographie noch halb mythisch zeigen, tritt das Künstler- und Wunderkind schon in einer Rolle auf, die der Moderne dann besonders gefallen musste, nämlich als Fremdling in einer feindlichen Umwelt, der mit Hilfe der Kunst dann gleichsam nach Hause findet. Lysipp war Schmied in seiner Jugend. Ein verachtetes Gewerbe. Erst die zufällige Begegnung mit einem schon etablierten Bildhauer öffnete ihm und der Welt die Augen für seine wahre Berufung. Und vom jungen Giotto wird erzählt, er sei ein Hirtenbub gewesen und habe seine Tiere mit dem Stab in

den Sand gezeichnet. Sein Lehrer Cimabue sei zufällig vorbeigekommen und habe an diesen Spuren im Sand Giottos Begabung erkannt.

Der Lebenslauf realer Menschen korrespondiert auf eine geheimnisvolle (und ein bisschen unheimliche) Weise mit literarischen Erzählmustern. Das Kinderunglück in der Nazifamilie, die rettende, wie aus dem Nichts auftauchende künstlerische Begabung, die meiner Mutter aus dem Esslinger Milieu heraushalf, der unmusische Vater (*auf bescheidenem Niveau, ganz ungeschult*), Mentorengestalten wie der im Brief meiner Mutter erwähnte Wiener Professor – all das hat es in den dreißiger Jahren des letzten Jahrhunderts zwar tatsächlich gegeben. Aber gleichzeitig sind in diesen realen Lebensmotiven sehr alte literarische Echos zu vernehmen, Erinnerungen an antike Formen des Fühlens, Erzählens und Denkens. Diese aus unserer gemeinsamen Vorgeschichte stammenden Erlebensmuster sind nicht vergangen. Sie sind sogar noch wirkmächtig genug, denkbar zeitgenössische Lebensläufe verunglücken oder gelingen zu lassen. Literatur und Leben sind nicht voneinander getrennt. Wenn man genau hinschaut, erkennt man im eigenen und in fremden Lebensläufen die Romane, denen sie unbewusst folgen. »Endlich fiel ihm ein Buch in die Hände«, heißt es in Novalis' »Heinrich von Ofterdingen«, einem berühmten Künstlerroman der Frühromantik, »das in einer fremden Sprache geschrieben war, die ihm einige Ähnlichkeiten mit der Lateinischen und Italienischen zu haben schien. Er hätte sehnlich gewünscht, die Sprache zu kennen, denn das Buch gefiel ihm vorzüglich, ohne dass er eine Sylbe davon verstand. Es hatte keinen Titel, doch fand er noch beym Suchen einige Bilder. Sie dünkten ihm ganz wunderbar bekannt und wie er recht zusah, entdeckte er seine eigene Gestalt ziemlich kenntlich unter den Figuren. Er erschrak und glaubte zu träumen, aber beim wiederholten Ansehen konnte er nicht mehr an der vollkommenen Ähnlichkeit zweifeln. Eine große Zahl von Figuren wusste er nicht zu nennen, und doch deuchten sie ihm bekannt. Gegen das Ende kam er sich größer und edler vor.«

Die kindliche Hilflosigkeit und familiäre Rechtlosigkeit meiner Mutter, ihre Einsamkeit in der eigenen Familie, das Unrecht des Geschlagenwerdens, der Terror väterlicher Autorität, die Entdeckung des Talents, erste Anerkennung, plötzlich *a room of one's own* – wir kennen das aus dem Künstlerroman, einer literarischen Gattung, die im achtzehnten Jahrhundert erstmals auftaucht und von Moritz' »Anton Reiser«, Goethes »Lehrjahren« und Anne Brontës »The Tenant of Wildfell Hall« bis zu Candace Bushnells »Sex and the City« zu einem modernen Leitmedium geworden ist. Irgendwann kommt einer oder eine vorbei und erlöst die Heldin. *The rest is history*, nämlich unsere. *Was Du über Dein Elternhaus schreibst, können wir so gut nachfühlen*, schreibt meine Mutter 1985 an eine Freundin, *mir ging das schon als 12jähriges Schulkind auf – was mein Heranwachsen nicht sonniger machte, von da an war ich eigentlich heimatlos, bis ich G. fand. Und G. selbst ging es ähnlich.*

Aber nicht nur »Lebensromane«, wie Michael Rutschky solche literarisch-biographischen Mischformen genannt hat, sondern auch Bildungseinrichtungen scheinen mit Mustern literarischen Erzählens zu korrespondieren. Der Künstlerroman des neunzehnten Jahrhunderts zum Beispiel hat sich institutionell in der Münchner Kunstakademie befestigt, die damals für mehrere Generationen das Ziel junger süd- und osteuropäischer Künstler gewesen ist. Die Romanfigur im Hauptwerk des Schweizers Gottfried Keller zum Beispiel studiert – und scheitert – in München, ebenso wie der Verfasser selbst (er war Maler, bevor er Staatsbediensteter in Zürich wurde und »Der grüne Heinrich« schrieb). Und auch der weibliche Künstlerroman, der spät, nämlich erst zu Beginn des vorigen Jahrhunderts erscheint in der Geschichte des Lebens und des Lesens, hat eine berühmte Ausbildungsstätte hervorgebracht. Es ist der Berliner Lette-Verein. Der nationalliberale Sozialpolitiker Wilhelm Adolf Lette kannte die soziale Recht- und kulturelle Perspektivlosigkeit weiblichen Lebens im neunzehnten Jahrhundert. Und er nahm sich vor, diesen Skandal durch eine Institution zu mildern, die Goethe in den »Lehrjahren« erfunden haben könnte oder Wilhelm Heinse in seinem Künstlerroman »Ardinghello und die glückseligen Inseln«. Die Grundidee des Lette-Vereins (der heute noch eine erfolgreiche kunsthandwerkliche Fachhochschule ist) ging von den real existierenden *artistic practices* bürgerlicher und kleinbürgerlicher Frauen aus, jenem Sticken, Stricken, Zeichnen, Hauswirtschaften und Klavierspielen, die zur weiblichen Bildung der Zeit gehörten, zum femininen Kultiviertsein und Geheiratetwerden, später dann zur Langeweile des Hausfrauendaseins und überhaupt zum Seelenleben weiblicher Kultur. Daraus sollte jetzt mehr werden als folgenlose Innerlichkeit. Erwerbskarrieren sollten aus diesen inneren Bezirken heraus entwickelt werden. Die Accessoires der Weiblichkeit sollten reüssieren auf den entstehenden Märkten.

Im Gegensatz zur Münchner Kunstakademie, an der im neunzehnten Jahrhundert vor allem die Landschafts- und die Historienmalerei gelehrt wurden, war die Berliner Frauenkunstakademie daher lebenspraktisch orientiert. Kunst war im Lettehaus eine Grundlagendisziplin zur Herstellung industriell verwertbarer Produkte. So sprach meine Mutter, die 1936 ans Lettehaus kam, von der Disziplin, die sie jetzt studierte und zu beherrschen begann, bis zum Ende ihres Lebens immer nur als vom »Zeichnen«. Denn sie hatte in Berlin das »Modezeichnen« erlernt, eine in Paris zugleich mit der *Haute Couture* entstandene Profession, die das saisonal erneuerte Angebot der Modestudios umsetzte in Druckvorlagen für »Journale des Luxus und der Moden« (wie das früheste deutsche Beispiel dieses Publikationstyps hieß; es war in Weimar noch zur Goethezeit von Friedrich Justin Bertuch und Georg Melchior Kraus gegründet worden).

»Ich genoss die Großstadt!«, heißt es in »Zwischen Tanztee und Naziterror. Meine Berliner Jahre 1935–1945«, den Lebenserinnerungen einer Ursula Hofmann, die in denselben Jahren wie meine Mutter am Lette-Verein lernte, und in denen ich den Ton ihrer späteren Erzählungen aus ihrer Berliner Zeit wiederfand. »Und mir wurde bewusst: Das war das Leben, das ich mir gewünscht hatte. Obwohl es mir nicht gerade in jeder Beziehung Freiheit gewährte. Ich musste ja mit dem Pfennig rechnen, und die mir auferlegte Sparsamkeit machte mir schon zu schaffen und ließ manche Wünsche unerfüllt. Aber wichtig war mir, dass ich über alles selbst entscheiden konnte. Niemand sagte mir, was ich zu tun hätte. Ich konnte mir zwar nicht die eleganten Kleider kaufen, die ich täglich in den großen Schaufenstern sah, doch ich konnte mir die Augenbrauen zupfen, die Lippen anmalen, Rouge auflegen und die Wimpern tuschen, ohne Gefahr zu laufen, dass ich durch ein kritisches Wort meines Vaters darin gestoppt würde, ohne die Worte ›Kriegsbemalung‹ oder ›Indianerhäuptling‹ hören zu müssen. Die Kosmetika kosteten zwar Geld, aber ich sparte sie mir regelrecht vom Munde ab, denn ohne ›Kriegsbemalung‹ kam ich mir nicht angezogen, geradezu nackt vor.«

Berlin hatte in den ersten Nazijahren offenbar durchaus noch etwas von der glamourösen und offenen Stadt, die in Irmgard Keuns Roman »Das kunstseidene Mädchen« und in Siegfried Kracauers soziologischer Erzählung »Die Angestellten« beschrieben ist. Es ist andererseits aber auch schwer vorstellbar, dass die junge Margot Hartmetz von der nationalsozialistischen Herrschaft und besonders der Judenverfolgung während ihrer Berliner Zeit nichts gesehen und gehört haben sollte. Die Memoiren ihrer Lette-Mitschülerin Ursula Hofmann sind in dieser Hinsicht mitteilsamer, als meine Mutter es gewesen ist. »9. November, Morgengrauen. Ich lag noch in tiefem Schlaf. Abrupt wurde ich durch dumpfe, wuchtige Schläge aufgerüttelt. Splittern, Krachen, klirrendes Getöse. War ich wach oder träumte ich noch?

Wieder diese unheimlichen Töne, und so nah. Ich rührte mich nicht. Wie erstarrt lag ich da. Während ich noch zweifelte, ob ich einer Halluzination erlegen sei, blieb plötzlich alles still – unheimlich still. Wie spät mochte es wohl sein? Jeden Morgen vergewisserte ich mich auf der großen Uhr über dem Uhrmachergeschäft auf der gegenüberliegenden Straßenseite, dass ich nicht verschlafen hatte. Ich sprang aus dem Bett und zog hastig den Vorhang zur Seite. Was hatte ich gehört? War ich wirklich wach? Und wo war die Uhr? Ich rieb mir die Augen. Ein dunkles Loch gähnte an ihrer Stelle, in dem Geschäft war keine Fensterscheibe mehr – und eine gebeugte Frauengestalt mühte sich, die Fragmente der eingeschlagenen Tür und die unzähligen Splitter der Ladenfensterscheibe auf der Straße zusammenzufegen. Fassungslos zog ich mich an. Auf dem Weg zur Schule begriff ich, was geschehen war.«

Gerade die Novemberpogrome von 1938, die allen Deutschen mit Absicht und in aller Deutlichkeit vor Augen führen sollten, welches Schicksal das »Dritte Reich« seinen jüdischen Untertanen zugedacht hatte, muss auch meine Mutter unmittelbar miterlebt haben. Vom Gebäude des Lette-Vereins am Viktoria-Luise-Platz hatte man damals nur ein paar Minuten weit die Münchner Straße nach Süden zu gehen, und man stand vor der Schöneberger Synagoge, wo sich an jenem Novembermorgen des Jahres 1938 zerschlagenes Mobiliar, zerbrochene und verbeulte Kultgegenstände und Zentner von Glasscherben auf dem Bürgersteig häuften. Auch viele andere Geschäfte und Wohnungen der »jüdischen Schweiz« um das Bayerische Viertel herum müssen am Morgen der »Judenaktion« unübersehbare Zeugnisse des angeblich spontanen, in Wahrheit sorgfältig orchestrierten

»Volkszorns« gewesen sein, als Margot Hartmetz am Morgen des 10. November zum Unterricht ins Lettehaus ging. Darüber gesprochen hat sie nie. Überhaupt kann ich mich nur an eine einzige Bemerkung von ihr über die Rechtlosigkeit der Juden in dieser Zeit erinnern. Sie wunderte sich irgendwann in den siebziger Jahren (meine Eltern und ich hatten damit begonnen, über Politik zu diskutieren), dass sie sich als Schulkind nie irgendwelche Gedanken darüber gemacht hatte, wieso ihre jüdischen Mitschülerinnen eine nach der anderen fehlten im Klassenzimmer. Und dass sie sich damals mit der Erklärung zufriedengegeben habe, deren Familien seien halt irgendwie weggezogen. Aber im November 1938 wird meine Mutter längst den bekannten Grundsatz politischer Arithmetik begriffen haben, nach dem drei gutorganisierte und zu allem entschlossene Faschisten plus zehn Unpolitische und Indifferente, die geflissentlich zur Seite schauen, wenn Unrecht geschieht, in der Summe dreizehn Faschisten ergeben. Die schon immer schüchterne, linkische und in der großen Stadt (so stelle ich mir vor) noch weiter vereinzelte achtzehnjährige Margot aus Esslingen wollte sich der gesellschaftlichen Konsensstimmung tunlichst nicht in den Weg stellen. Was sie dann freilich selbst zur Mitläuferin machte und später wahrscheinlich ein Grund für sie war, über ihre politischen Erlebnisse in Berlin schamvoll zu schweigen.

Wie gesagt: Noch war in Berlin nicht alles Talent, aller Lebensmut, alle Eleganz und Initiative vertrieben und umgebracht. Trotz allem war die Stadt in den späteren dreißiger Jahren noch nicht völlig demoralisiert durch das Treiben und Morden der Nazis. Es gab dort auch zwischen 1936 und 1939 etwas zu lernen für eine junge Frau; auch viel Gutes. Nach

1920 war die traditionelle weibliche Kultur in Berlin in eine Beschleunigung und Verweltlichung geraten, die erst durch den Krieg endgültig unterbrochen werden sollte. Das Jahrhundert der Frauen und des Lebenskonstruktivismus hatte sich in Berlin besonders früh und nachhaltig angekündigt. Und die neue Weiblichkeit der zwanziger Jahre hatte während der Weimarer Jahre so viel Schwung aufgenommen und Durchschlagskraft entwickelt, dass sie die nationalsozialistische Zerstörung der Demokratie zunächst noch um ein paar Jahre überlebte. Unter anderem brachte man den jungen Frauen, neben der kunsthandwerklichen Fachausbildung, in den dreißiger Jahren am Lettehaus bei, verantwortlich mit Geld umzugehen. So hat auch meine Mutter nach ihrer Berliner Lehrzeit, als Angestellte der Werbeagentur Hohnhausen in Stuttgart (die es heute noch gibt), schon bevor sie zwanzig war, über ihr eigenes Gehalt verfügt, und obwohl sie noch zu Hause wohnte, wird die finanzielle Selbständigkeit und das Selbstbewusstsein, das ihr damit zugewachsen war, zu ihrer Isolierung im Zollberger Nazihaushalt weiter beigetragen haben. Auch konnten die Töchter des Bürgertums im Berlin der späten dreißiger Jahre (wie besonders aus Ursula Hofmanns Lebensbericht eindrucksvoll hervorgeht) lernen, ihre erotischen Beziehungen selbständig zu managen. Womit es freilich bei meiner Mutter nicht sehr weit her gewesen zu sein scheint.

Dafür entstanden jetzt die ersten Arbeiten ihres eigentlichen Werks: Illustrationen und *renderings* der deutschen Damenmode um 1935, der zu Unrecht das Image des blond Langbezopften, völkisch Selbstgekunkelten anhaftet. In Wirklichkeit kannten sich die deutschen Modedesigner dieser Jahre mit den zeitgenössischen Entwicklungen in Paris,

London und New York ziemlich gut aus. In diese Frauenbilder meiner Mutter ist viel von der erotischen Sehnsucht und der weiblichen Selbstdarstellungslust eingegangen, die für sich selbst zu verwirklichen unter der Aufsicht ihres Vaters undenkbar gewesen ist und die aufgrund von Hemmungserlebnissen und Traumata, die sie zeitlebens nicht einmal mit ihrem Ehemann besprach, auch in der freieren Umgebung Berlins ihr keine reale Lebensmöglichkeit gewesen zu sein scheinen. Stilistisch sind die frühen Modezeichnungen meiner Mutter beeinflusst von der Neuen Sachlichkeit, der einzigen avantgardistischen Strömung der zwanziger Jahre, deren Erbschaft der nationalsozialistische Kunstbetrieb antrat. Vorbildlich fanden die Nazis zwar beileibe nicht die erotischen und sozialkritischen Sujets Christian Schads, Rudolf Schlichters oder Otto Dix'. Wohl aber wurde die technische Perfektion der Meister jener weltoffenen, kreativen und oft »wilden« zwanziger Jahre maßgeblich für die Gemälde Ivo Saligers, Fritz Erlers, Adolf Wissels oder Adolf Zieglers. Die hingen jetzt im Münchner »Haus der Deutschen Kunst«, wurden durch Abbildungen in Illustrierten verbreitet und waren die offizielle Kunst des Dritten Reichs.

Eine altmeisterliche Stilgesinnung, die beträchtliche handwerkliche Standards voraussetzt, zeigt sich auch im Frühwerk meiner Mutter. Es sei ihm nicht klar, wie man so miniaturistisch feine und saubere Details bei der Darstellung gewisser Schuhe, Rocksäume und Kostümaufschläge hinbekommen sagte mir ein befreundeter *graphic designer*, dem ich die Blätter meiner Mutter neulich zeigte. Unter anderem wurde ihm (und mir) über ihren Mappen bewusst, dass sich Originalzeichnungen heute problemlos auf das jeweilig verlangte Druckvorlagenformat verkleinern lassen, während damals jedes Detail genau so groß gezeichnet werden musste, wie es in »Die Dame«, »die neue linie«, in der »Berliner Illustrierten« oder anderen Zeitschriften im Druck auftauchen sollte (nämlich meistens nur postkartengroß).

Meine Mutter erfuhr am Lettehaus als noch sehr junges Mädchen (sie war sechzehn, als sie in die Hauptstadt kam, und sie hatte dort ausgelernt mit neunzehn), dass Kunst die Welt verwandeln und dass man das eigene Leben immer wieder neu konstruieren kann. Sie war in Berlin kein hässliches, verachtetes und geschlagenes Kind mehr. Durch ihre Begabung hatte sie sich eingeführt in eine Art geheime Internationale des künstlerisch nobilitierten Körperkults. In ihm bereitete sich eine mächtige kulturgeschichtliche Tendenz vor. Die Modeindustrie des zwanzigsten Jahrhunderts zog die Grenzen des Künstlerischen weiter als das aus dem neunzehnten überlieferte Kunstsystem. Es öffnete sich seit den zwanziger Jahren auch bisher verachteten Künsten und Lebenskünsten. Die weiblichen (oder auch schwulen) Handwerke des Sich-Anziehens, Schminkens und Diäthaltens begannen jetzt dazuzugehören. Das *windowshopping*. Die Accessoires. Der Schmuck. Die *mannerisms*. Die Modegeschichte. Das Schneidern, das Modezeitschriftenanschauen, das Nachdenken über das eigene Bild, all das war jetzt auch irgendwie Teil der Kunstsphäre – die damit weit ins Leben ausgriff.

Mode (weibliche Kultur überhaupt) hatte lang nur als Firlefanz gegolten. Dabei zeigen sich ihre Anfänge schon in der späteren Lebenszeit Johann Wolfgang von Goethes. Mode war sogar ein unübersehbarer Teil des häuslichen Lebens in Goethes Palais am Weimarer Frauenplan. Denn der Olympier deutscher Kultur war mit einer »Putzmacherin«

verheiratet: Christiane von Goethe, geborene Vulpius, hatte in der Manufaktur jenes Weimarer Modepublizisten und Galanteriewarenunternehmers Friedrich Justin Bertuch Stoffblumen, Schleifen und andere Accessoires hergestellt, bevor sie mit Goethe zusammenlebte. Im zweiten Teil des »Faust« wird das Flirrende, nicht Ernstzunehmende und trotzdem Unwiderstehliche weiblicher Kultur um 1830 beschrieben. Die »Gärtnerinnen« annoncieren sich und ihre ästhetische Technik im »Weitläufigen Saal mit Nebengemächern«: »Allerlei gefärbten Schnitzeln / Ward symmetrisch recht getan; / Mögt ihr Stück für Stück bewitzeln, / Doch das Ganze zieht euch an. / Niedlich sind wir anzuschauen, / Gärtnerinnen und galant; / Denn das Naturell der Frauen / Ist so nah mit Kunst verwandt.« In der herablassenden und halb widerwilligen Anerkennung, die nicht einmal der Weimarer Dichterfürst den Niederungen des modisch-erotischen Kunstwollens versagte, ist das Verhältnis von männlicher Hochkultur und weiblicher Lebenskunst dann das ganze neunzehnte Jahrhundert hindurch stehengeblieben.

Vielleicht kann man die Initialzündung einer Annäherung der beiden Sphären auf das Jahr 1910 datieren. Damals ließ sich der Pariser Modedesigner Paul Poiret inspirieren durch die Kostümentwürfe Léon Baksts für die New Yorker Aufführung von Rimski-Korsakows »Scheherazade«. Mit dieser Inszenierung (und ihren Folgen) war erstmals ein Grundmotiv der Postmoderne angespielt, das die Kunst des zwanzigsten Jahrhunderts bestimmen sollte und mit dem jetzt auch das Leben meiner Mutter Bekanntschaft machte – um ihm mehr als ein Jahrzehnt lang zu folgen. Es begann ein folgenreicher und bis heute anhaltender Flirt zwischen Volkskunst, Mode, Pop, Subkultur einerseits und andererseits Museum,

Galerie, Kunstkritik und Akademie. Eine *comedy of manners* zwischen oben und unten im kulturellen Feld (wie es Kirk Varnedoe und Adam Gopnik 1991 im Katalog einer berühmten Ausstellung des New Yorker Museum of Modern Art über »High and Low« formulieren würden). Die sittenkomödiantischen Verwicklungen zwischen den geweihten Höhen und den populären Niederungen der Kultur hat dann New York, die Hauptstadt des letzten Jahrhunderts, in derselben Weise formiert, wie Paris, die Hauptstadt des vorletzten, durch die Dialektik zwischen Königshof und Boheme geprägt gewesen ist – bis in die kulturelle Kodierung von Stadtteilen.

Damit kam Bewegung nicht nur ins Kunstsystem. Varnedoes und Gopniks *comedy of manners* katapultierte nicht nur die Kunst, sondern auch das Leben meiner Mutter noch vor ihrem zwanzigsten Lebensjahr in die moderne Welt. Auch darin war vermutlich der Hass zwischen ihr und ihrem

Vater begründet, der dazu führen sollte, dass der Blockwart Ernst Hartmetz – trotz seines modernen Berufs und seiner avancierten technischen Patente steckte er innerlich tief und kompliziert in der Pfälzer und Esslinger Vormoderne – seine Tochter 1943 krankenhausreif schlug. Denn ihm kam jetzt in der eigenen Familie, mit der eigenen Tochter, eine Zeit entgegen, in der Frauen ihr eigenes Geld verdienten, ihre eigenen erotischen Entscheidungen trafen, Kunst machten, die so präzise war wie die Bilder Adolf Zieglers und zugleich etwas so Unernstes zeigte und idealisierte wie verführerisch gekleidete, frisierte und geschminkte junge Frauen. Jedes Mal, wenn er seine Tochter ansah, hing Ernst Hartmetz die Zukunft der Welt als eine aufreizende Wutpuschel ins Gesichtsfeld. Und die seelische Bindung meiner Mutter an die väterliche Sphäre, die als vages Schuldgefühl, als halbbewusste Hemmung, als plötzlich ausbrechende Wut zeitlebens fortbestand, hat verhindert, dass der Berliner Impuls sie noch weiter in die Zukunft trug und dass ihr Künstlerroman in ihrer Ehezeit dann abbrach (oder vielleicht genauer: langsam ausfranste und zerbröselte).

Stuttgart

Wenn man die Perspektiven und Chancen bedenken will, die sich ihr in den letzten Friedensjahren des Dritten Reichs in Berlin aufgetan hatten, muss man eine andere, vom Leben meiner Mutter scheinbar ganz entfernte Geschichte erzählen. In einem Paralleluniversum, das sich an einer unscheinbaren Stelle mit dem von Margot Hartmetz kurz berührt hat, lebte in Nürnberg (später Berlin und München) ein Mode-Illustrator namens Richard Lindner. Er hatte in den zwanziger Jahren an der Nürnberger »Staatsschule für Angewandte Kunst« bei Max Körner sein Handwerk gelernt, einem Grafiker und Buchkünstler, der meiner Mutter gleich nach dem Krieg als Rektor der damals ins Schloss Ellingen ausgelagerten Kunsthochschule begegnen sollte. Körner war Nazi. Lindner war Jude und floh 1933 mit seiner Frau über Paris nach New York, wo er ab 1941 als Modezeichner und *graphic designer* reüssierte. Er freundete sich mit Saul Steinberg und anderen Figuren der jüdischen Intelligenzija von Greenwich Village an. Und irgendwann um die Wende zu den fünfziger Jahren herum muss Richard Lindner den Entschluss gefasst haben, von der populären und kunstindustriellen Seite des kulturellen Spielfelds auf die der ernstgenommenen Kunst zu wechseln und Maler zu werden.

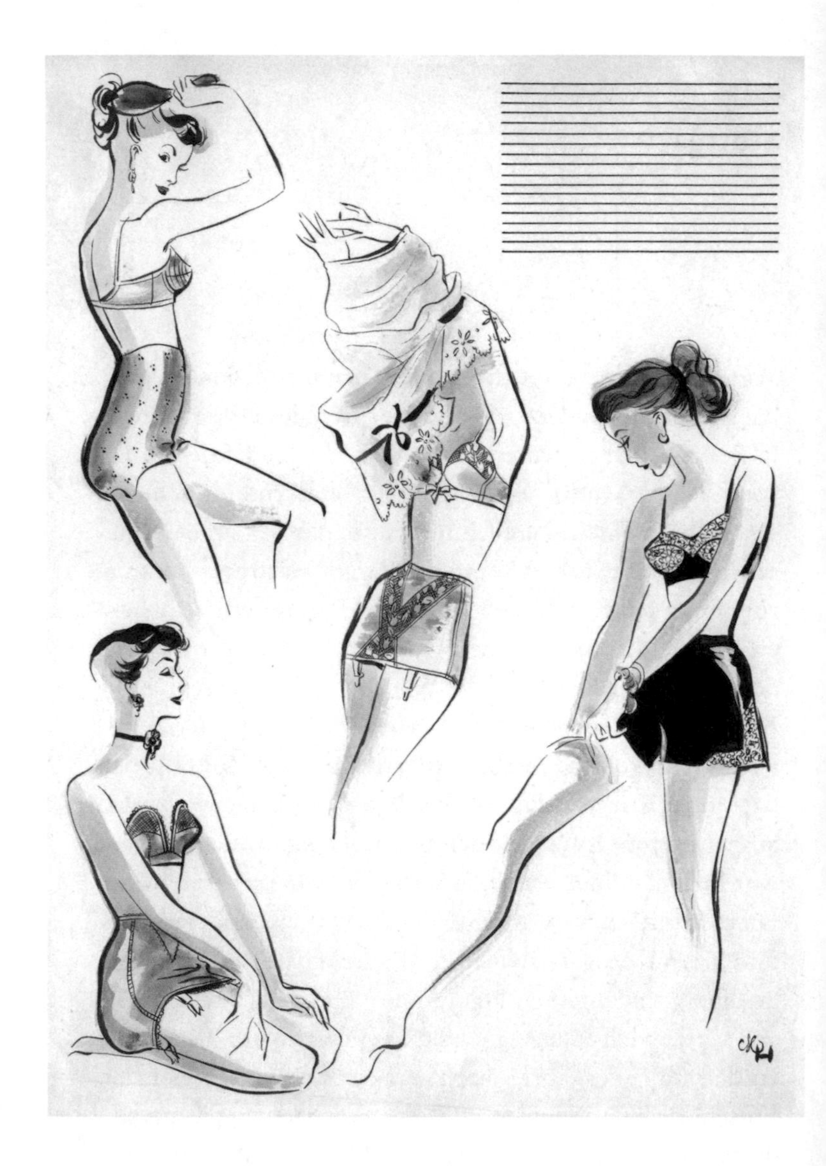

Er folgte damit jener weltkunsthistorischen Trift von *low* zu *high*. Auch der *billboard painter* James Rosenquist und – am folgenreichsten – der Mode-Illustrator Andy Warhol wagten in diesen Jahren den Seitenwechsel, der zum »großen Sprung« in der Kunstgeschichte des letzten Jahrhunderts werden sollte. Lindners Werk, formal eine figurative Version des dann bald zur *minimal art* weiterführenden *hard edge painting*, zeigt verführerische und dominante Frauen, futuristische Vamps. Lindners Kunst trieb Andeutungen aus der Geschichte seines Handwerks in eine dämonische Ausgesprochenheit. Der Mode-Illustration nämlich war seit ihren Anfängen eine ironische Umkehrung patriarchalischer Grundverhältnisse eingezeichnet. Sie feiert die Überlegenheit der schönen Frau. Inszenierte weibliche Selbstbezüglichkeit stellt ästhetische Autonomie her und fordert eine Art spielerische Unterwerfung des Mannes heraus (ein weiterer Grund vermutlich für die Wut meines Großvaters auf seine aus dem nördlichen Sündenbabel in die schwäbische Heimat zurückgekehrte Tochter). Insofern illustrieren Lindners Gemälde, von denen so gut wie jedes große Kunstmuseum der Welt eins oder mehrere besitzt, einen Aspekt unseres weiblichen Zeitalters, den man als »ästhetische Herrschaft« bezeichnen könnte und der aus der Modewelt in die populären Mythologien und von da aus in die Sphäre der Galerien, Museen und Kunstausstellungen eingewandert ist.

Richard Lindner wurde neben Andy Warhol eine Zentralfigur der nun in Führung gehenden ästhetischen Strategie, nämlich jener Nobilitierung des zuvor als niedrig und außerkünstlerisch Angesehenen durch das Kunstsystem, die Varnedoe und Gopnik in ihrer New Yorker Ausstellung historisch bilanzierten. Dieses Verfahren ist der Grundzug der Kunstgeschichte seit 1950 und machte eine hochkulturelle Verklärung des Gewöhnlichen – Mode, Popmusik, Knipserfotografie, Pornographie, Alltagsgegenstände, Schildermalerei und Werbegraphik – zu Vehikeln ästhetischen Fortschritts. Inzwischen verwandelt es im Zeichen der von Nicolas Bourriaud in den neunziger Jahren folgenreich ausgerufenen *estétique relationnelle* so gut wie jeden Aspekt von Politik, Ökonomie und Alltagsleben nicht nur in einen Gegenstand der Kunst, sondern direkt in Kunst. Dieser Seitenwechsel zwischen *high* und *low* erfordert neben Einfallsreichtum, Geduld, strategischem Geschick, Glück, kunstkritischem Feuerschutz und ausdauerndem *networking* vor allem beträchtliche persönliche Kühnheit. Zum Erfolg in dieser kulturellen Kampfsportart gehört eine bestimmte Form wilden künstlerischen Muts. Ohne diese – vor einigen Jahrzehnten noch ausschließlich männliche – psychische Grundausstattung gelingt es niemandem, im Kunstsystem, das nach jeder grundlegenden Veränderung kunstharzschnell wieder gerinnt und seine Positionen verfestigt, etwas Neues durchzusetzen und für andere Künstler anschlussfähig zu machen. Es ist kein Zufall, dass solche Coups im letzten Jahrhundert nur Männern gelungen sind.

In dieser Situation griff ich natürl. wie nach einem Rettungsanker nach B.s Einladung nach Amerika. Meine Tante war schon 1946 nach Evansville ausgewandert und hatte dort geheiratet. War es wirklich nur Ekel vor der eigenen Familie, die meine Mutter 1954 mit ihrem kleinen Sohn in Bremerhaven einen der eleganten Dampfer besteigen ließ, die damals die Alte mit der Neuen Welt verbanden? Abenteuerlust war auf jeden Fall dabei. Das Märchengefühl, dass Margot Wackwitz, geborene Hartmetz, etwas Besseres als den Tod überall auf der Welt finden würde. Ihr Mann hatte sie damals einige Wochen lang mit mir in der Dachkammer ihres feindseligen elterlichen Hauses allein gelassen, um in der Londoner Bibliothek des British Museum Material für ein Dissertationsprojekt zu sammeln, aus dem nie etwas wurde. Fühlte sie sich einsam? Ist ihr Entschluss zu dieser Amerikareise damals gefallen? Wollte sie meinem Vater zeigen, dass auch sie die Welt erobern konnte? Meine Eltern waren so jung wie die Bundesrepublik. Damals schien alles möglich. Und der große Markt für Mode-Illustrationen war unzweifelhaft in New York, wo der mächtige Zeitschriftenverlag Condé Nast residierte und die Frauen so gut gekleidet waren wie sonst nirgends auf der Welt.

Wir kamen nach zehn Tagen Seereise dort an. Ich kann mich an eine Mitpassagierin erinnern, die im Rollstuhl saß. Im schweren Seegang rollte sie hin und her von einer Wand unserer Kabine zur anderen. Alle seien seekrank gewesen, erzählte meine Mutter später oft, außer mir. Ich habe noch deutliche Erinnerungsbilder davon, was meine Mutter auf dieser Reise anhatte. Und vom endlosen, grauen, mit riesenhaftem Wogen in Nebel und Sprühregen rollenden Ozean. Auch meine Mutter, scheint es, verfügte über eine große Portion wilden Muts. Und obwohl ich sie nicht mehr fragen kann und mein Vater sich eher bedeckt hält, was die Motive für die Amerikareise meiner Mutter in den fünfziger Jahren angeht, scheint mir irgendwo in ihren damaligen Entscheidungen und Wagnissen ein ähnliches Motiv verborgen zu sein, wie das, welches Richard Lindner erst die Kontinente und dann die Seiten der Großen Kunstdistinktion wechseln ließ.

Aber man hatte in den Vereinigten Staaten nicht gewartet

auf meine Mutter. Sie hatte keine Verbindungen zur dortigen Modeszene oder Kunstwelt. Ihr Englisch war schlecht. Und sie war eine Frau. Es würde ihr in ihren amerikanischen Monaten an der sozialen Phantasie und an der Initiative fehlen, die sie gebraucht hätte, um Geschäftsverbindungen in New York zu knüpfen, wo Andy Warhol in diesen Jahren seine Schuhe, Damen, Putten, Hüte, Kleider und Katzen zeichnete und zusammen mit seinem Freund, dem Kritiker und Kurator Henry Geldzahler, darüber nachdachte, wie die damals noch unumschränkte Herrschaft des abstrakten Expressionismus zu überwinden sein könnte. Meine Mutter aber verkaufte in Amerika so gut wie nichts. 1955 waren wir wieder in der Heimat. Mein Vater, der inzwischen – gleichfalls unverrichteter Dinge – aus London zurückgekehrt war, hatte eine Wohnung auf dem Stuttgarter Killesberg angemietet. Der Ausflug in die große Welt war vorbei. Das den beiden jungen Träumern vermutlich gar nicht ganz bewusste Zukunftsphantasma einer idealischen amerikanischen Existenz – mein Vater Geschichtsprofessor in Harvard oder Stanford und meine Mutter eine Kollegin von Andy Warhol, deren Zeichnungen in der Vogue erscheinen würden – war ausgeträumt.

Die geheimen Zukunftswünsche meiner Eltern hatten in London und New York gespielt. Sie begründeten einen Familientraum, der sich im Halbdunkel unseres gemeinsamen Phantasierens verborgen hielt und erst in meinem und im Leben meines Sohns wirksam werden würde. Gelehrtenberuf und Künstlerleben waren meinen Eltern als persönliche Fata Morgana am Horizont ihrer Nachkriegszeit erschienen. Aber weder konnte die frühe Bundesrepublik den Mut und die strategische Initiative ermöglichen und ertragen, die

Margot und Gustav Wackwitz gebraucht hätten, um ihren Wünschen tatsächlich zu folgen und sich das *eigene Leben* zu erobern; noch konnten die beiden jungen Leute selber die dafür erforderliche lebenskonstruktivistische Chuzpe aufbringen. Während mein Sohn und ich in unserem einundzwanzigsten Jahrhundert längst routinierte Biographen unserer selbst sind, tatkräftige Konstrukteure unserer Lebensläufe, Selbstbilder, Patchworkfamilien. Wir haben genau diesen wilden Mut (diese Lebensfrechheit) als unsere Schlüsselqualifikation erkannt.

Aber immerhin war meinen Eltern Mitte der fünfziger Jahre die Sezession aus der Esslinger Naziwohngemeinschaft gelungen. In unserem Familienroman begann das wirkliche Leben. Um uns herum nahm die reale Erfolgsgeschichte der Bundesrepublik ihren Anfang. Und merkwürdigerweise entspricht auch diese Wendung dem literarischen Schema. Das Zentralparadox der europäischen Künstlerromane besteht darin, dass seine Helden die romantisch übersteigerten Erwartungen an die Kunst aufgeben müssen, wenn sie das Leben gewinnen wollen.

»Etwa ein Jahr später besorgte ich die Kanzlei eines kleinen Oberamtes, welches an dasjenige grenzte, worin das alte Heimatdorf lag. Hier konnte ich bei bescheidener und doch mannigfacher Wirksamkeit leben und befand mich in einer Mittelschicht zwischen der Gemeindeverfassung und der Staatsverwaltung, so dass ich den Einblick nach oben und unten gewann und lernte, wohin die Dinge gingen und woher sie kamen. Allein sie vermochten die Schatten nicht aufzuhellen, die meine ausgeplünderte Seele erfüllten.« So heißt es am Schluss von Gottfried Kellers Roman »Der grüne Heinrich«. Der gescheiterte Künstler Heinrich Lee ist

EIN MENSCH UND EINE MENSCHIN
DIE LIEBTEN SICH SO HEISS.
SIE HATTEN KEINEN CHARAKTER
UND VIEL ZU WENIG FLEISS

SIE MACHTEN ALLES SCHRECKLICH DUM
IN DIESER KLUGEN WELT.
VERMÄHLTEN UND VERMEHRTEN SI
UND HATTEN GARKEIN GELD

EIN JEDER BRAVE BÜRGER SPRACH:
„WO FÜHRT DENN SOWAS HIN?
„MAN KANN DOCH NICHT SO EINFACH SI
DAS HAT DOCH KEINEN SINN!"

SIE ABER HATTEN DAFÜR NUR
EIN TIEFGEFÜHLTES: SCHEISSE!
UND FÜHLTEN SICH SO NACKICH-WOH
ALS WIE IM PARADEISE...

GALGENLIEDER

jetzt ein erfolgreicher, aber insgeheim trauriger Amtmann. Was bei Keller durchaus als positiver Ausgang gestaltet ist. Denn »uns gilt«, wie Hegel schon um 1820 herum in seinen Vorlesungen über die Ästhetik sagte (die in Wirklichkeit ein philosophischer Künstlerroman sind), »die Kunst nicht mehr als die höchste Weise, in welcher die Wahrheit sich Existenz verschafft«. Auch Goethes Wilhelm Meister ekelt die Schauspielerei genau in dem Moment, als er in ihrem professionellen Alltag endgültig angekommen ist: »In kurzer Zeit war das ganze Verhältnis, das wirklich eine Zeitlang geradezu idealisch gehalten hatte, so gemein, als man es nur irgend bei einem herumreisenden Theater finden mag. Und leider in dem Augenblicke, als Wilhelm durch Mühe, Fleiß und Anstrengung sich mit allen Erfordernissen des Metiers bekannt gemacht und seine Person sowohl als seine Geschäftigkeit vollkommen dazu gebildet hatte, schien es ihm endlich in trüben Stunden, dass dieses Handwerk weniger als irgend ein anderes den nötigen Aufwand von Zeit und Kräften verdiene. Das Geschäft war lästig und die Belohnung gering.«

Mein Vater unterrichtete Englisch an einer Dolmetscherschule. Und meine Mutter zeichnete in ihrem winzigen Arbeitszimmer die saisonal wechselnden Kollektionen der Fünfziger-Jahre-Damenunterwäsche, die in pralinenschachtelhaft kostbar dekorierten Kartons, eingepackt in farbige Seidenpapiere, jetzt im Steinberg 3 angeliefert wurden und auf allen Stühlen und Bügeln unserer kleinen Dreizimmerwohnung herumlagen und -hingen. Sie illustrierte Kinderbücher und Firmenprospekte, entwickelte Logos (»Schutzmarken«), konzipierte Anzeigenkampagnen und entwarf eine umfangreiche Postkartenserie mit historischen schwäbischen Trachten. Das »geradezu Idealische« aber, das in der realistischen Wendung ihres Lebenslaufs verlorengegangen war, sah meine Mutter jetzt in ihren Sohn hinein. Meine Aussprüche und Kinderabenteuer im zweiten Stock des Stuttgarter Mehrfamilienhauses, der Nachwelt überliefert in einem Album aus punziertem braunen Leder, steht jetzt bei meinen eigenen Tagebüchern. In meiner späteren Kindheit kam es mir als eine Art Zauberbuch vor. Es dokumentiert die systematische Überschätzung, die meine Mutter der angeblichen Genialität ihres Sohnes entgegenbrachte. Es war eine narzisstische Spannungsüberladung des seit Sigmund Freud sprichwörtlichen »Glanzes im Mutterauge«, wie sie in der Vorgeschichte vieler psychischen Störungen vorkommt. Ich lege sie mir psychoanalytisch zurecht als Übertragung halbbewusster amerikanischer Hoffnungen und Erwartungen auf einen Dreijährigen.

Die Vokabel »Genialität« ist begründet gewählt. Aus dem Grund nämlich, dass meine Mutter mit einer Beharrlichkeit, die weder meinem Leben gutgetan hat noch vor allem demjenigen meiner Schwester, bis zu ihrem Lebensende darauf bestand, dass ich als Kind »etwas Geniales gehabt« habe. Wobei sie das Adjektiv auffälligerweise – und als ob sie durch diese prätentiöse Irregularität den Rückbezug auf die klassisch-romantische Kunsttheorie (woher der Geniebegriff stammt) betonen wollte – mit einem weichen Sch-Laut aussprach, der im Deutschen zwar für das Nomen »Genie« korrekt ist, beim Adjektiv »genial« aber nicht. Trotz dieser pathogenen Überhitzungen war es ein glückliches, wenn auch finanziell eingeschränktes Familienleben zwischen Kunst, Kunstgewerbe, Lektüre, selbstgeschneiderter Mode, Spazierengehen, Kindererziehung und konventionellen Verwandtenbesuchen, das wir führten in dem kleinen

Haus über der großen Stadt. Dort hinunter fuhren wir mit der gelben Stuttgarter Straßenbahn, mein Vater zur Arbeit in der Dolmetscherschule und meine Mutter, oft mit mir, zu ihren Arbeitgebern in den Werbeateliers, Zeitschriftenredaktionen und Modestudios der Wirtschaftswunderjahre.

Auf dem Stuttgarter Killesberg konkurrierten seit den zwanziger und dreißiger Jahren die futuristischen Gesten des architektonischen Modernismus mit der traditionalistischen »Stuttgarter Schule« um Paul Bonatz und den späteren Nazi Paul Schmitthenner. So wanderten Mutter und Sohn vor und nach ihren Ausflügen in die Großstadt durch die Kochenhofsiedlung im Heimatschutzstil, deren Satteldächer und Holzfassaden Bonatz und Schmitthenner 1933 dem »Neuen Bauen« der späten zwanziger Jahre polemisch entgegengesetzt hatten. Unweit der Straßenbahnkehre vor dem Eingang zur Gartenschau, jenseits der Kunstakademie und weiter dem Talkessel zu, taten sich wiederum die Kuben, Glasflächen, Betonwände und Metallkonstruktionen der Weißenhofsiedlung auf, wo Mies van der Rohe 1927 dem staunenden schwäbischen Publikum vorgeführt hatte, was in New York und Chicago zur internationalen architektonischen Weltkultur werden und erst nach dem Krieg wieder nach Deutschland zurückkehren sollte.

So oft es ging, machten wir Spaziergänge im Gartenschaupark von 1939. Die rötlichen Klippen eines aufgelassenen Steinbruchs im »Tal der Rosen« waren eine Abenteuerlandschaft, in der meine Lieblingsmärchen spielten. Im November spazierten wir durch neblige, kahle Parkalleen. Im Sommer machten wir Fahrten mit der Sesselliftbahn und schwebten über Wiesen, bunte Beete und Freitreppen aus rötlichem Sandstein durch Baumkronen. Dort oben war es ganz still, und wenn der leicht schwankende Doppelsitz einen der Aufhängungsmasten passierte, gab es einen unheimlichen kleinen Ruck. Wir kehrten ein auf der Terrasse einer erst ein paar Jahre zuvor dem nationalsozialistischen Erholungsgelände hinzugefügten modernistischen Milchbar (offene Treppenhäuser; Chrom, Glas; Natursteinwände). Ein Kaffee für meine Mutter. Ein Erdbeermilchshake für mich. Ein kleiner Parksee mit Flamingos war nicht weit.

Kinder sind empfänglich für die ästhetischen (und besonders die architektonischen) Atmosphären, in denen sie aufwachsen. Meine Kinderphantasien und meine Erinnerungen an unsere Amerikareise verschränkten sich auf dem Stuttgarter Killesberg mit Formeindrücken, die ich später als künstlerisch-gesellschaftliche Träume des zwanzigsten Jahrhunderts zu entziffern gelernt habe. Es waren Bilder, Vorstellungen und Ahnungen einer Zukunft, die offener, vernünftiger, demokratischer sein würde als die fatalen zwölf Jahre, die hinter uns lagen. Und auch das bis in die vierziger Jahre verlängerte Esslinger Mittelalter, aus dem sich meine Mutter erst durch ihre Ehe und durch den Exodus aus ihrem Elternhaus endgültig befreit hatte, lag weit hinter den Hügeln des Neckartals in einer Vorzeit. Im Gegensatz zu Esslingen bedeutete die Stadtlandschaft um den Killesbergpark in unserer Familiengeschichte die Moderne: ein einstweilen noch unsichtbares Land der Erwartung, aus dem mich aber in den Kinderbüchern, die ich aus Amerika mitgebracht hatte, in den Garderoben und Zeichnungen meiner Mutter, in ihren Märchen, Familienritualen und Gutenachtgeschichten schon prophetische Nachrichten erreichten. In den fünfziger Jahren gab es in Westdeutschland ein konsistentes Bild gesellschaftlicher Zukunft, das von der Obrigkeit ebenso wie von jedermann geteilt wurde und so allgegenwärtig war, dass es uns – wie Ernst Bloch über die Utopie der Heimat schrieb – »in die Kindheit schien«.

Nicht weit von unserem Haus baute sich Theodor Heuss 1959, nach dem Ende seiner Amtszeit als Bundespräsident, einen dezidiert modernen und zugleich sympathisch bescheidenen Bungalow. Wir Kinder bestaunten die Baugrube am Feuerbacher Weg, und in der ganzen Straße war man stolz darauf, jetzt Nachbarn des berühmten und allgemein beliebten Liberalen zu sein. Heuss, den meine Mutter schon seit seiner Zeit als Geschäftsführer des »Werkbund« verehrte, war eine wichtige Figur in unseren Familiengesprächen. Er verkörperte einen demokratischen Habitus der Macht, zusammengesetzt aus Kunstverstand, klassischer Bildung, Liberalität und selbstironischem Understatement. Meine Eltern würden diese Art öffentlicher Selbstdarstellung ein Jahrzehnt später an Willy Brandt und Gustav Heinemann noch einmal bewundern. Meine Mutter fand besonders großartig

und vorbildlich an Theodor Heuss, dass er 1958 nach dem Besuch eines Manövers der erst drei Jahre zuvor gegründeten Bundeswehr zum Abschied zu den Soldaten gesagt haben soll: »Na, dann siegt mal schön.« Was sie immer wieder zitierte und was ihr eingeleuchtet haben muss als die richtige – statt wichtigtuerisch militaristische nämlich freundlich humoristische – Weise, mit dem notwendigen Übel der Landesverteidigung umzugehen. Einmal zeigte sie ihn mir auf der Straße, er blieb mir in Erinnerung als hochgewachsene Gestalt in einem langen dunkelgrauen Wollmantel.

In der Stuttgarter Innenstadt gab es Mitte der fünfziger Jahre noch ausgedehnte Trümmerfelder. Auch die Ruine des Barockschlosses gehörte dazu. Ich kann mich daran erinnern, wie sehr mich auf den Ausflügen mit meiner Mutter ins Tal der goldene Hirsch auf der Kuppel des Kunstgebäudes neben dem ausgebrannten Schloss interessierte; und an einen Moment namenloser Panik, als ich sie im Gewühl einer Menschenmenge minutenlang aus den Augen verlor. Der Wiederaufbau hatte die Innenstadt in eine widersprüchliche Landschaft aus geschwärzten Ruinen und Schuttbergen einerseits und andererseits Baugruben, Gerüsten und Kränen verwandelt. Der Neuerfindung Stuttgarts lagen die Ideen der »Charta von Athen« und der »autogerechten Stadt« zugrunde. Den tonangebenden Vorstellungen einer »funktional entdifferenzierten« Stadt sehr genau entsprechend, verkörperten der Killesberg und das Zentrum im Tal ganz unterschiedliche psychogeographische Atmosphären. In der Villengegend am Hang waren Echos der zwanziger und dreißiger Jahre zu spüren – gebaute Erinnerungen an die Zeit, in der meine Mutter jung gewesen war und Anregungen aufgenommen hatte, die sie zeitlebens ausmachen würden. Im Talgrund regierte, plante und baute derweil schon die Nachkriegsmoderne.

Die Ideologen um Le Corbusier hatten auf ihrer folgenreichen Athener Städtebaukonferenz von 1933 die Stadt der Zukunft aufgeteilt in eine innere Zone von Politik und Verwaltung, einen Gewerbegürtel und die Wohnperipherie.

Folgerichtig waren die Straßenblocks um das im Krieg nicht sehr beschädigte, aber trotzdem durch einen modernistischen Bau ersetzte Rathaus schon in den frühen fünfziger Jahren im Geist des demokratischen Kahlschlags umgestaltet worden. Jetzt wurden, der Planungsideologie einer »Entmischung der Verkehrsträger« folgend, versuchsweise die ersten Fußgängerzonen in Deutschland realisiert, zuerst die

Treppenstraße in Kassel und 1957 die Stuttgarter Schulstraße, die mit terrassenartig angeordneten Geschäften und Restaurants vom politischen Mittelpunkt um Marktplatz und Rathaus hügelaufwärts führte zu der von Kaufhäusern und Luxusgeschäften gesäumten Königstraße.

Für dieses damals moderne und sich selbst als sehr fortschrittlich empfindende städtebauliche Experiment entwarf meine Mutter eine Imagebroschüre (»Kleine Liebeserklärung an die Schulstraße«), die von den Stadtvätern abgelehnt wurde. Zu den Gründen dieses Misserfolgs kann man interessante Überlegungen anstellen. Ich glaube, der Entwurf meiner Mutter konnte sich in dieser Ausschreibung nicht durchsetzen, weil er den Stuttgarter Planern der fünfziger Jahre zu feminin und zugleich zu rückwärtsgewandt für ihr architektonisches Zukunftsunternehmen erschien. Ein Andy-Warhol-Engelchen als Eingangsvignette, die Orientierung des Entwurfs an Karikatur, Kostümgeschichte und Modezeichnung – in einer Frauenzeitschrift, einem Kaufhausprospekt oder einer Anzeige für eins der zahlreichen Cafés, die in der Stuttgarter Innenstadt jetzt aufmachten, wäre das durchgegangen. Aber der saint-simonistischen Fortschrittsutopie, die sich mit der neuen Schulstraße 1957 ihr Denkmal setzen wollte, entsprach es nicht. Diese Fußgängerzone, überhaupt die zonierte, autogerechte Stuttgarter Innenstadt der fünfziger Jahre, war eine gebaute Zukunftsutopie, und meine Mutter fand zu dieser spezifisch männlichen Denkweise und Gefühlswelt keinen gestalterischen Zugang. Im Rückblick mutet mich der Entwurf zu dieser Imagebroschüre als erstes Symptom einer Anachronizität der siebenunddreißigjährigen, mit ihrer Formphantasie noch in der Vorkriegszeit beheimateten Frau an, als bildnerischer Ausdruck eines Aus-der-Zeit-Fallens, das Margot Wackwitz, je weiter die sechziger Jahre vorrückten, immer mehr vereinsamen und geradezu verbittern lassen würde. Während mir in derselben Zeit dann technische Basteleien und Experimente (oder auch die hingebungsvolle Lektüre der technoutopischen Jugendbuchreihe »Das Neue Universum«) dazu dienen würden, mich aus dem mütterlichen Bannkreis (*Beam me up, Scotty!*) innerlich herauszukatapultieren.

Einstweilen aber dokumentierte jenes Zauberbuch mit meinen frühen Aussprüchen ein glückliches, in seiner Zeit geborgenes Kind mit einer stolz und leidenschaftlich in ihren Sohn verliebten Mutter. Bald darauf wurde meine Schwester geboren. Ich kam in die Schule. Es hätte so weitergehen können. Gesetzt den Fall, mein Vater (der allerdings nach dem Scheitern seines Dissertationsprojekts schlechterdings gar keinen akademischen Abschluss vorweisen konnte) hätte irgendwann Karriere gemacht im wiederaufstrebenden Erwerbsleben der jungen Bundesrepublik. Und angenommen, meine Mutter wäre um 1950 herum dem in der Modebranche einsetzenden Siegeszug der Fotografie ausgewichen – zum Beispiel ins Stoffdesign oder eine andere Weiterentwicklung ihres Berufsfelds. Dann wäre aus uns eine leidlich mit sich selber zufriedene schwäbische Honoratiorenfamilie am Rand des lebhaften Kulturlebens der baden-württembergischen Hauptstadt geworden. Ich habe solche Familien später in meiner Stuttgarter Studienzeit kennengelernt. Und beneidet, weil ich in ihnen die versäumten Möglichkeiten meiner eigenen sah.

Sie lebten wie Bürger, aber sie dachten wie Künstler. Die süddeutsche Bürgerboheme verkörpert bis heute eine bestimmte Art gesellschaftlicher Souveränität. Sie nimmt für sich (in gewissen Grenzen) die moralischen Lizenzen in Anspruch, die das traditionelle Privileg der Künstler sind. Diese Bürgersöhne, diese höheren Töchter – und dann oft sogar ihre Väter und Mütter – nahmen sich und ihre Regungen so ernst, wie Künstler das müssen, wenn sie Werke schaffen wollen. Auch als Zahnärzte, Richter oder Gymnasialdirektoren genehmigten sie sich die lebenspraktischen Ausnahmebedingungen kreativer Selbstverwirklichung. Unter den staunenswert zahlreichen und guten Erzählvignetten in den Familienrundbriefen meines Vaters aus den sechziger und siebziger Jahren findet sich die folgende über ein befreundetes Blaubeurer Ehepaar, in der mein Vater seinen preußisch-protestantischen Eltern diese versäumte und in einem schwäbischen Paralleluniversum auf Nimmerwiedersehen verschwundene Familienmöglichkeit schildert.

Am Donnerstagabend riefen die Bekannten T. an, er, T., habe 40. Geburtstag, und wir möchten doch kommen. Also wieder rein in Schlips und Anzug, was ich abends doch gar nicht gern habe, und hin. Dann wurde es aber sehr füdöll, ein paar Lehrer vom Gymnasium waren da, und dann das Ehepaar S. (er Arzt und Besitzer der größten hiesigen Fabrik, sie hochbegabte Malerin, Verwandte eines guten Tübinger Studienfreundes von mir, Millionäre), und es wurde ein lautes und völlig enthemmtes Geschnatter, sehr komisch und würzig, anschließend fuhren Margot und ich noch zu den S. bis nach Mitternacht, in ihr altes bäuerliches Haus, wo aber die schönen Sachen und die unbezahlbaren Gegenstände nur so rumlagen und -standen, dazu viele gute Bücher, und vor allem – und das gefällt uns eben in Süddeutschland so gut im Gegensatz zu der kitschig-feierlichen und protzig-primitiven Art der Iserlohner Honoratioren – die zwanglos heitere und unpräten-

tiöse Art der Donauschwaben, eben unserer S. und T. und U. etc. Geld ist da, z. T. sogar erstaunlich viel, aber man hat es wie z. B. Taschentücher, schwätzt mit Bauern und mit Direktoren gleich, genießt, ohne anzugeben, zieht Grimassen, wenns pathetisch wird, klatscht, tratscht und amüsiert sich. T.s Vater war Bauer, Werner Bergengruen war ein Familienfreund, Erziehung im besten humanistischen Gymnasium Stuttgarts, neulich reiste er nach Israel mit einem als Reisebegleiter, wie er sagte, »gemieteten« Pfarrer (»Also, mein lieber Hochwürden, jetzt auf nach Bethlehem!«) – Musil, skythische Kunst und Exportkalkulationen. Dazu Trollinger, Freizeithemd und ganz normal. Ihr seht, wir sind auch mit den Leuten hier ziemlich zufrieden und fühlen uns »sauwohl«.

Eine Weile lang, solange nämlich wie meine Mutter als Künstlerin arbeitete und für die Atmosphäre in unserer Familie maßgeblich war, bewegte sich auch unser Leben in die Richtung, die mein Vater in seinem Rundbrief vom 19. Februar 1967 unverkennbar bewundernd schildert (er würde sich nach dem Tod meiner Mutter, in Gaienhofen am Bodensee, mit einer Vertreterin dieses Milieus zusammentun; eine andere Geschichte). Es mochte meiner Mutter nicht gelungen sein, ihre Begabung international zu vermarkten oder in die Distinktionsfelder der »wahren Kunst« einzuschreiben. Aber ihr Verwandlungs- und Neuformatierungstalent – ihr Mut zum Leben und zum Weitermachen – hatten im Steinberg 3 ein familiäres Kunstwerk geschaffen, das mir im Rückblick beeinflusst scheint, auf welchen Umwegen auch immer, von den Ideen der Lebensreformbewegung (Nietzsche, Morris, Ruskin, Tolstoi, Rudolf Steiner, Christian Morgenstern, Hermann und Maria Hesses Gaienhofener Idyll, »Wir Kinder aus Bullerbü« *and all that*).

Mit Künstlersorgfalt gestaltete meine Mutter unsere Familienfeste. Sie überwand sich, ihren Vater zu bitten, ihr für unsere Weihnachtskrippe einen strohgedeckten Stall zu bauen (der heute noch, in gewissermaßen bombenfester Gediegenheit und Solidität, bei meinem Vater irgendwo im Keller verstaubt), und bastelte eine Heilige Familie aus Draht, Wachs, einem bestickten Umhang für Maria und einem lodengrünen Filzhut für Joseph; das Jesuskind lag auf einem schneeweißen Stückchen Lammfell. Die familiären Sonntagsfrühstücke waren von zeremonieller Ausgedehntheit. Zu jeder Mahlzeit gab es Geschichten über die Beschaffenheit und den Nährwert der jeweiligen Speisen (bis heute kann ich mich daran erinnern, wie seltsam es mir als Kind schien, dass in Spinat Eisen enthalten sein sollte; und wie einleuchtend ich es fand, dass im Fisch die Kraft des Meeres gespeichert sei). Am Nikolausabend stellte meine Mutter ein Glas Buttermilch für den an diesem Tag ja sehr vielbeschäftigten und vermutlich entsprechend stärkungsbedürftigen Heiligen neben meine frisch geputzten Schuhe vor die Haustür. Dass es am Morgen leer getrunken neben dem mit Süßigkeiten gefüllten Paar stand, war für mich der unumstößliche Beweis für die tatsächliche Existenz des vorweihnachtlichen Wohltäters. Ich hatte sogar das Gefühl, etwas ganz Konkretes gelernt zu haben über den Heiligen Nikolaus. Er mochte Buttermilch! Wenn es schneite, gingen wir Rodeln am Bismarckturm. Im Sommer gab es nächtliche Spaziergänge, um die Glühwürmchen zu beobachten, die auf den Wiesen dort schwärmten und leuchteten.

Meine Mutter gab sich diese Mühe für uns, aber auch für sich selbst. Denn waren wir auch nicht wohlhabend, so unterschied sich jedenfalls »unser« Stuttgart zuverlässig von ihrem Elternhaus und ihrer Kindheit. Die künstlerische Ma-

DER PURZELBAUM

Ein Purzelbaum trat vor mich hin
und sagte: ‚Du nur siehst mich
und weißt, was für ein Baum ich bin:
Ich schieße nicht, man schießt mich.

Und trag ich Frucht? Ich glaube kaum;
auch bin ich nicht verwurzelt.
Ich bin nur noch ein Purzeltraum,
sobald ich hingepurzelt.'

‚Je nun,' so sprach ich, ‚bester Schatz,
du bist doch klug und siehst uns: –
nun, auch für uns besteht der Satz:
Wir schießen nicht, es schießt uns.

Auch Wurzeln treibt man nicht so bald
und Früchte nun erst recht nicht.
Geh heim in deinen Purzelwald,
und lästre dein Geschlecht nicht.'

102

PALMSTRÖM

gna Carta dieser frühen Familiengemeinschaft sind Illustrationen in einer Ausgabe von Christian Morgensterns »Galgenliedern«, die mein Vater seiner Frau 1951 geschenkt hatte und die sie ihm 1953, versehen mit dreißig bis vierzig kolorierten Federzeichnungen, zurückschenkte. Die Freiheit der Phantasie im humoristischen Werk des anthroposophischen Gottsuchers Morgenstern, eine lustige, anarchistische und zivile Version lebensreformerischer Motive, das exterritorial Weltläufige (sozusagen Britische) seiner Verse und zugleich die Eleganz und die Unbekümmertheit, mit der meine Mutter in dieser Arbeit ihrem Talent die Zügel schießen lässt, mit alldem tröstet und inspiriert mich dieses Buch, das mir unser wertvollster Familienbesitz scheint, heute noch. In

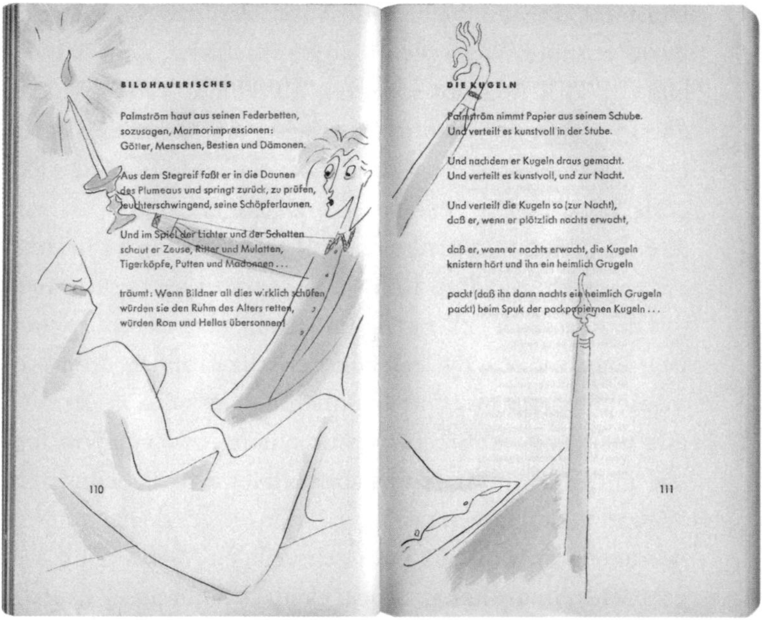

BILDHAUERISCHES

Palmström haut aus seinen Federbetten,
sozusagen, Marmorimpressionen:
Götter, Menschen, Bestien und Dämonen.

Aus dem Stegreif faßt er in die Daunen
des Plumeaus und springt zurück, zu prüfen,
leuchterschwingend, seine Schöpferlaunen.

Und im Spiel der Lichter und der Schatten
schaut er Zeuse, Ritter und Mulatten,
Tigerköpfe, Putten und Madonnen ...

träumt: Wenn Bildner all dies wirklich schüfen,
würden sie den Ruhm des Alters retten,
würden Rom und Hellas übersonnen!

110

DIE KUGELN

Palmström nimmt Papier aus seinem Schube.
Und verteilt es kunstvoll in der Stube.

Und nachdem er Kugeln draus gemacht.
Und verteilt es kunstvoll, und zur Nacht.

Und verteilt die Kugeln so (zur Nacht),
daß er, wenn er plötzlich nachts erwacht,

daß er, wenn er nachts erwacht, die Kugeln
knistern hört und ihn ein heimlich Grugeln

packt (daß ihn dann nachts ein heimlich Grugeln
packt) beim Spuk der packpapiernen Kugeln ...

111

diesen Gedichten und ihrer Verbindung mit der mütterlichen Formphantasie war die Lebenskunst unseres Stuttgarter Künstler- und Wissenschaftlerhaushalts aufbewahrt – trotz oder sogar aufgrund des Scheiterns, dem sich diese soziale Plastik im Grunde verdankt hat. Mit ihrem Büchergeschenk führte meine Mutter ihrem Mann vor Augen, was der Legende vom Künstler zufolge die verachtete Außenseiterin durchs Leben trägt und trotz aller Widerstände ins Ziel bringt.

Es sollte nicht dabei bleiben. Es gab ein Element in dem Stuttgarter Familienkunstwerk meiner Mutter, das es in den fünfziger Jahren hoch instabil machte. Unsere Existenz beruhte nämlich auf dem damals unterschwellig skandalösen

Umstand, dass sie, nicht mein Vater, den prestigereicheren Beruf ausübte. Weswegen Margot Wackwitz, dem Frauenbild der Zeit folgend, sobald sich meinem Vater solidere, ehrenvollere und einkommensträchtigere Aussichten boten als an der Dolmetscherschule, aus Liebe und ohne jedes Zögern, ohne innere Reserve und sozusagen freudig, in eine ihrem Mann untergeordnete familiäre Hilfsrolle zurücktrat. Sie gab nicht nur ihre Kunst auf, sondern sie verließ auch – wahrscheinlich auf eigene Initiative, subjektiv möglicherweise fast erlöst – die halbkünstlerische familiäre Kompromissbildung des Stuttgarter Boheme-Haushalts, in den sich ihre ursprünglichen Lebensträume einerseits aufgelöst hatten, in dem sie andererseits aber erhalten geblieben waren. Wodurch die Gespenster ihrer Esslinger Kindheit, mit verheerenden Folgen, aus ihrer zeitweiligen Verbannung aufgebrochen und wieder zurückgekehrt sind in unser Leben.

Die Zerbrochenheit

Im Mai 1944 lancierte die 8. US-Luftflotte eine mit kernigem Kasino-Humor nach einem beliebten Swing-Titel benannte Offensive gegen das immer noch nicht vollständig besiegte Deutsche Reich: »Operation Chatanooga Choo-Choo«. So lustig das hieß, so schrecklich war es. Achthundert alliierte Jagdflieger, vor allem britische Supermarine Spitfires und amerikanische P51-Mustangs zerstörten systematisch das Eisenbahnnetz im deutschen Südwesten, um den Nachschub an die Westfront zu stören, die Bevölkerung zu demoralisieren und die militärischen wie zivilen Bewegungen des Feindes in dessen eigenem Hinterland zu unterbinden. Es war ein Unternehmen, das zahlreiche zivile Opfer in Kauf nahm. Es herrschte »Luftüberlegenheit«. Die wenigen noch verbliebenen deutschen Abfangjäger konzentrierten sich auf die nachts einfliegenden Bomberstaffeln und ignorierten weitgehend die amerikanischen Tiefflieger, die sich tagsüber fast nach Belieben im Luftraum über Deutschland bewegen konnten und von denen manche in den letzten Monaten des Kriegs offenbar auf so gut wie alles schossen, was sich dort unten bewegte.

Nicht einmal einen Status als Nicht-Kombattantin konnte meine Mutter geltend machen. Sie war im vorletzten Kriegs-

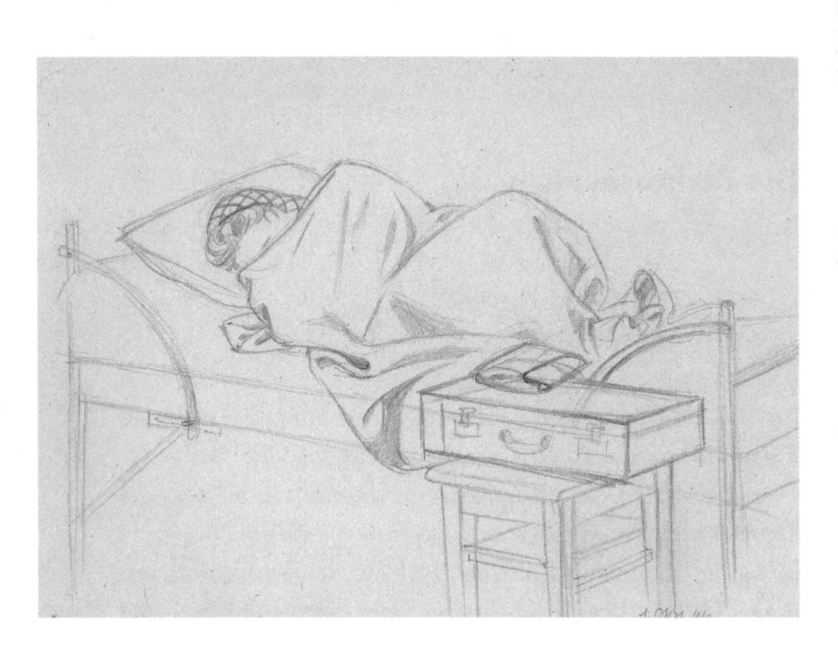

jahr, wie die gesamte irgendwie abkömmliche weibliche Bevölkerung, zum Kriegsdienst eingezogen und als Luftwaffenhelferin im Nordschwarzwald dienstverpflichtet worden. Die Flakhelfer, nach denen der Soziologe Heinz Bude eine Zwischengeneration benannte (die Jahrgänge nämlich, die den Übergang vom Nationalsozialismus in die Bundesrepublik bewerkstelligen und verkörpern würden), ersetzten als militärisches Hilfspersonal die regulären Soldaten, die derweil an den kaum mehr im Ernst existierenden Fronten verheizt wurden. Frauen und Teenager bedienten die Scheinwerfer der Flugabwehr, mit denen die alliierten Bomberstaffeln bei ihren nächtlichen Angriffen auf die deutschen Städte erfasst werden sollten, bemannten die Boden-Luft-Geschütze, warteten die Kanonen, machten Telefondienst und wurden zu Meldefahrten eingesetzt.

Auf einer solchen war meine Mutter im Mai 1944 im Zug unterwegs. Ihr werde schon nichts passieren, hatte sie ihrem Vorgesetzten gesagt, der »zu feig« gewesen sei, den Auftrag selbst auszuführen, wie sie in ihren späteren Kriegserzählungen stets betonte, und ihr stattdessen drei Tage Urlaub versprochen hatte, wenn sie Befehlsdokumente von hier nach dort bringen würde. Irgendwo im nördlichen Schwarzwald erspähte ein amerikanischer Tiefflieger den Zug, in dem sie saß, überholte ihn, drehte um und feuerte die Geschosse seines Bordmaschinengewehrs in die rechte Seite des Zugs hinein, von der Lokomotive bis zum letzten Wagen. Dann flog er eine Kehre und führte die taktischen Vorgaben von »Operation Chattanooga Choo-Choo« auf der linken Seite aus.

Meine Mutter war seit diesem Frühsommertag in der Sprachregelung der staatlichen Rentenversicherung »zu 60 % schwerkriegsbeschädigt« – ein Kriegskrüppel, wenn man die Dinge beim Namen nennen will. Sie verbrachte das letzte Kriegsjahr sehr dicht am Rand des Todes in den Krankenhäusern von Freudenstadt und später Esslingen. Sie habe damals die behandelnden Ärzte mit knapper Not und letzter Kraft davon abbringen können, ihr den rechten Arm abzunehmen, was an sich indiziert gewesen wäre, hat mir mein Vater später erzählt. Ich habe meine Mutter als Kind ein- oder zweimal im Badeanzug gesehen. Ich kann mich heute noch daran erinnern, wie schockiert ich war. Die rechte Schulter der Frau, die ich als meine elegante Mutter liebte, war in Wirklichkeit eine Ruine. An manchen Stellen trat unter einer dünnen Hautschicht der Knochen hervor. Nachdem ihr rechter Oberkörper wieder einigermaßen zusammengeflickt und zusammengewachsen war, musste sie – der Krieg war schon vorbei und der Sommer des ersten

Nachkriegsjahrs stand über dem zerstörten Land – zunächst lernen, mit links zu schreiben und zu zeichnen. Dann trainierte sie, den rechten Arm wieder in Betrieb zu nehmen, den sie freilich nie wieder weiter würde anheben können als in eine Höhe irgendwo zwischen Bauchnabel und Rippenansatz.

Auf den 29. April 1945 – den Tag, bevor Hitler im Berliner Bunker seinem Leben ein Ende setzen würde – ist eine Zeichnung meiner Mutter datiert, die sie noch im Krankenhaus gemacht hat. Die Linienführung und die Meisterschaft, mit minimalen Mitteln ein ausdrucksvolles Gesicht zu zeichnen, verraten zwar die professionelle Künstlerin. Aber der zittrige Gestus (die Mühsamkeitsanmutung) der offenbar mit der linken Hand ausgeführten Arbeit ist rührend wie auf einer Kinderzeichnung. Ein Mädchen, das viel jünger aussieht als die vierundzwanzig Jahre, die meine Mutter damals tatsächlich alt war, sitzt halbaufgerichtet in einem nur mit wenigen Strichen angedeuteten Krankenhausbett. Ihr braunes Haar ist sorgfältig gebürstet. Sie trägt einen hellblauen Pyjama, der an der unverletzten linken Hand, auf die sie sich stützt, granatrot gesäumt ist. Man hält diesen sparsamen Farbtupfer inmitten des fast monochromen und nur angedeuteten Krankenhausinterieurs bei flüchtigem Hinsehen zunächst für ein Schmuckstück. Ihr rechter Arm ist weiß bandagiert und liegt waagerecht auf einem Gestell.

Die Figur wendet sich in sehnsüchtiger Haltung der Vision eines Fensters zu, in dem eine bunte, hell von der Sonne beschienene Kinderbuchlandschaft liegt. Wolken, Berge, ein Dorf mit roten Dächern. In krakeliger Sütterlinschrift steht der Satz *Dort möchte ich sein!* über diesem Panorama, das nur ein Traum ist. Oder liegt in diesem Fenster die Erinnerung an jene ozeanischen Gefühle, die sie mir in ihrem Brief von 1981 als den kindlichen Ursprung ihres Künstlerlebens geschildert hat? *Und meine früheste u. glücklichste Erinnerung muß auf so einem Spaziergang gewesen sein, denn ich stand umgeben von grün glitzernden, sich wiegenden hohen Gräsern u. Wiesenblumen, summende Käfer u. Bienen flogen dazwischen, die Sonne durchfunkelte alles und ich hatte die Arme ausgestreckt und wollte alles »liebhaben«, weil es so schön war. Das Beglückendste daran war das Gefühl, eins zu sein mit dieser brausenden, durcheinanderwogenden, duftenden, farbensprühenden Welt, mitten drin und ein Stück von ihr zu sein.* In der traurigen und fast farblosen Wirklichkeit ihrer Krankenstube sind von der *farbensprühenden Welt* nur Spurenelemente übrig geblieben: jener

granatrote Saum ihres Pyjamas und die rote, in einem Spalt zwischen den weißen Bezügen sichtbare Kopfkissenfüllung. Aber ein fernes Echo dieses enthusiastischen Ursprungsmoments zeigt sich auch in der fast modebewussten Haltung der Frau, die sich hier am deutschen Nullpunkt des Jahrhunderts porträtiert und die noch im Krankenbett (von dem sie jetzt weiß, dass sie irgendwann einmal wieder von ihm aufstehen können wird) darstellerischen Wert auf granatrote Säume legt, die man bei flüchtigem Hinsehen mit einem Armband verwechseln könnte; und auf ihr braunes, sorgfältig gebürstetes Haar.

Diese Zeichnung ist eine Unabhängigkeitserklärung. Ein zerschossener und zerbrochener Mensch dokumentiert seinen Stolz auf sich selbst, auf sein Überleben und auf seine Nähe zu einem ästhetischen Kindertraum, den er sich auch vom Krieg nicht nehmen lassen will. *Dort möchte ich sein.* In dem geträumten Fenster liegt die Welt, die meine Mutter in ihrer Kunst und ihrem Leben im Stuttgart der fünfziger Jahre eine Weile lang um sich herum einrichten wird und in der ich meine erste Kinderrolle spielen werde. »Man kann sagen«, schreibt Heinz Bude, »dass Schelsky das Bild der Funktionstüchtigkeit der Flakhelfer-Generation zeichnet. Er nennt sie die ›Generation der vorsichtigen, aber erfolgreichen jungen Männer‹. (…) Dieses Bild hebt die Leistung dieser Generation angesichts eines ruinierten Landes hervor. Dabei wird die innere Logik ihres Erfolges sichtbar: sie machen sich klein und packen zu. Die Beschränkung auf das Nächstliegende und Handhabbare ist als Antwort auf den Expansionismus und die Phantastik des deutschen Faschismus zu verstehen. Durch ihre unermüdliche Arbeit im Konkreten haben sie dieses Land mitgeschaffen. Die ›letzten

Helden des Führers‹ erscheinen als die lautlosen Macher des westdeutschen Wiederaufstiegs. Das Bild verdeckt jedoch die andere Seite der Funktionstüchtigkeit dieser Generation: ein darunter liegendes Lebensgefühl des Schwindels, der Haltlosigkeit, der Unsicherheit.«

Heinz Bude charakterisiert die Flakhelfergeneration (die in seinem Buch von 1987 merkwürdigerweise nur aus Männern besteht) als eine Altersgruppe, die als Jugendliche von allen Autoritäten und 1945 auch von ihrem idealisierten Führer verraten wurde und sich dann zeitlebens selber verriet. Aus derselben Zeit, in der meine Mutter mir ihren Brief über den Vater schrieb, es war 1981, muss ein Selbstverständigungstext aus ihrem Nachlass stammen, in dem sie über die Mechanik dieses generationentypischen Selbstverrats Auskunft gibt.

Tiefste Ursache: Libidozurückweisung nach vorheriger Gewährung: Ödipuskomplex. Daraus sich entwickelnd: Minderwertigkeitsgefühle, Rachegefühle (Verstopfung: jetzt kriegst du von mir auch nichts mehr), Rivalität mit den Geschwistern, Angst vor dem Zeigen der eigenen Gefühle, sowohl der libidinösen wie der aggressiven, beide werden stark verdrängt, um weiteren Liebesverlust zu vermeiden. Eltern verlieren früh ihren Identifizierungswert, Schamgefühle auf vielen Gebieten, Genieren, Peinlichkeit, Straf- und Entdeckungsangst, Schuldgefühle (Tatzen und Wundergückle), Angst ausgelacht zu werden, Angst vor Zurückweisung, dadurch sich immer weiter ausbreitende Gehemmtheit u. Entmutigung. Sicheres Gefühl, von den Eltern weniger geliebt zu werden als die Geschwister. Gefahrenvermeidung, Aktionseinengung, Schüchternheit, Rotwerden, Zurückziehen ins Innere, Introvertiertheit bei ursprüngl.

lustvollem Nach-Außen-Gewandtsein. Charakter-Umkehrung? Auch Aggression stark gehemmt, die sich dann in gelegentlichen unkontrollierbaren Ausbrüchen Luft verschafft, sich nicht wehren können gegen die Ansprüche der Anderen aus Angst vor Liebesverlust (Buchführung, Kinder, Wackwitze). Wahrscheinl. zurückzuführen auf übertriebene Verdammungsreaktionen bei kindlichem Umgehorsam, vor allem im Vergleich zu meinen lammfrommen Schwestern. Elendes Gefühl nach einem Streit. Mit der Aggressionsabfuhr schade ich mir mehr als dem anderen, weil ich damit das herbeigeführt zu haben glaube, was ich am meisten fürchte: Liebesverlust. Daher: Mangel an Zivilcourage, Scheu, andere ins Gesicht zu kritisieren (hintenrum, wenn sie es nicht hören: gerne). Ertragen von Unersprießlichem in Stummheit, z. B. meine ungeliebten Verehrer: P., C. usw. Unfähigkeit, meine Interessen höflich, aber bestimmt zu vertreten (G. mit ihrem Hundevieh). Die Abwehr bricht dann hin + wieder unangemessen heftig durch (Gu.s Vater, Anschreien der Kinder, Dinge sagen, die man eher nicht sagen will, übertriebene Affektausbrüche). Dringend zu erlernen: gekonnte Aggression. Höfliche Abweisungsformen: »Sag nicht ja, wenn du nein sagen willst.« Meine nach links gestoßenen g-Unterschleifen – Ablehnung der Vergangenheit? Der Hauptknoten ist wahrscheinlich nicht, wie ich bisher dachte, der Konflikt mit der unterdrückten Sexualität. Ich verdrängte weniger sie selbst (das Interesse an ihr war mir ja immer bewußt), als die Möglichkeit, durch sie bloßgestellt, abgewiesen, zurückgestoßen, verschmäht zu werden. Mit Recht, wie sich herausstellte in der Pubertät, doch waren diese Erlebnisse vermutlich die Wiederholung der frühkindlichen Libido-Zurückweisung durch den Vater nach Ruhla und die Erbitterung über dieses neue Schwesterchen, das mir die gewohnte Zuwendung entzog. Besonders kraß nach der

Verwöhnungs-Hochstimmung in Ruhla, die M. typischerweise nicht so empfand (warum heulte die jeden Abend im Bett vor Heimweh?). Als Folge: Ablehnung meiner Rolle als Frau, Gassenrandel, aufsässig und frech, auch viel mutiger als M. (O. S.). Auflehnung. Ständige Tatzen in der Schule (ständige Angst, daß B. T. es meiner Mutter sagen würde), Groschenstehlen, um Süßigkeiten zu kaufen: Wundergückle = Ersatz für fehlende Liebe? Schuldgefühle. Entsetzl. Gespensterfurcht. Gewissheit, in die Hölle zu kommen. Angst vorm Nikolaus, Angst vor dem Schlagen der Uhr im Wohnzimmer, den Lichterreflexen der Straßenbahn an der nächtl. Schlafzimmerdecke. Angsttraum von dem Hund, der über mir steht. Auch reales Schreckerlebnis mit einem Hund, als ich mit dem Mund auf den Stein fiel, bevor meine Eltern aus Kreuznach zurückkamen. Die Abwehr alles Sexuellen war also nur ein Teilaspekt der Abwehr aller Situationen, die zu einer Blamage, einem Bloßgestelltwerden, einer Zurückweisung führen könnten. Tu + sage lieber nichts, dann ist es auch nichts Falsches u. sie können dich nicht auslachen. »Die feindlichen Gefühle bedeuten ebenso eine Gefühlsbindung, wie die zärtlichen, wie der Trotz (ich) dieselbe Abhängigkeit bedeutet wie der Gehorsam (M.).« Es war nicht allein die Sex., die ich angstvoll unterdrückte (wie wenn man ganz fest den Deckel auf einen kochenden Topf drückt, damit ja kein Dampf heraus kann, Schnack), sondern überhaupt das Sich-Äußern, das Auf-den-anderen-Zugehen, das Zeigen, daß man ihn mag, das Antragen von Libido, eben aus Angst, abgewiesen zu werden, was tiefe Scham bei mir auslöste, auch dieses Zaungast-Gefühl, nicht zugelassen zu sein, nicht dazuzugehören, aber nicht zu wissen, warum? Was ist denn anders bei mir als bei den anderen? Warum können sie so entspannt u. zutraulich sein? Im Vergleich zu den anderen immer ganz schlecht abgeschnitten, daraus resultierend tiefer Minderwertigkeitskomplex, der sich langsam, aber sicher durch alle Gebiete fraß, außer dem Zeichnen. Überhaupt: Sublimierung meiner Sexualität zu Ästhetik? Vielleicht fällt mir das Neinsagen deshalb so schwer, weil ich selbst durch Zurückweisung so tief getroffen werde.

Dass die früh verfestigten Lebenshemmungen, die meine Mutter im Rückblick aus den frühen achtziger Jahren beschreibt, auch etwas mit dem Krieg, mit ihrer Verwundung und ihrer Generationszugehörigkeit zu tun haben könnten, kommt in ihren Reflexionen nur am Rande (gleichsam abgewandten Blicks) zur Sprache. Man sieht in solchen Aufzeichnungen ja immer nur sich selbst und seine Nächsten. Aber während ich mich bemühte, meine Mutter ein Vierteljahrhundert nach ihrem Tod als Figur einer geschichtlichen Konstellation zu sehen, ist mir über ihren Aufzeichnungen endgültig unübersehbar geworden, dass sie noch in ihren neurotischen Symptomen (zum Beispiel der emotionalen Unbalanciertheit, die sie selbst beschreibt und nicht leiden kann) ein Produkt ihrer frühen Erwachsenenjahre zwischen Krieg und Frieden ist. »Ontologische Mangelzustände: Vaterlosigkeit, Sprachlosigkeit, Geschichtslosigkeit« ist eins der Kapitel bei Heinz Bude überschrieben. Ich weiß, dass man Menschen nicht auf einen Begriff bringen kann. Die eigene Mutter schon gar nicht. Aber es war mir unmöglich, nicht an das Leben meiner Mutter zu denken, als ich in Budes Buch Sätze las wie: »Den ›letzten Helden des Führers‹ mangelte es an möglichen väterlichen Verkörperungen, die ihnen den Mut geben konnten, das Risiko des Selbstseins auf sich zu nehmen. Sie verharrten statt dessen in Zuständen symbolischer Verklammerung: mit der Familie, mit dem Kleinen und Überschaubaren, überhaupt mit dem Persönlichen und Privaten. Die Vaterlosigkeit der Flakhelfer-Generation scheint ein Grund ihrer ontologischen Unsicherheit zu sein.«

Revolutionary Road

Fast alle Frauen und Männer sehnen sich, wenn sie jung sind, nach der Geborgenheit eines Familienlebens, wie ambivalent auch immer. Und entwickeln ein Madame-Bovary-Gefühl, wenn diese Sehnsucht sich erfüllt (oder auch nur zu erfüllen droht). Denn so viele romantische Möglichkeiten, real oder imaginiert, sind am Traualtar für immer vorbei. »Fahr wohl, bist nimmer ein Poet gewesen« – so verdammt ein besonders dämonisches und herzzerreißendes Gedicht Joseph von Eichendorffs – »Schlimme Wahl« – einen Hochzeiter. Denn während der konventionell wohlanständigen Festlichkeiten (seine Heirat wird ihm eine sichere Lebensstellung eintragen) fängt der Bräutigam den Blick einer verführerischen »Fei« auf, die als Gespenst oder Vision am Waldrand erschienen ist. Poesie, Erotik, Magie zeigen sich ein letztes Mal, bevor das Bürgerleben seinen Lauf nimmt. Die Anfechtung geht vorüber, die Ehe wird geschlossen und gefeiert. Du bist verloren, ruft Eichendorff dem Mann nach, denn die flüchtige Verführung des poetischen Dämons »brennt dich nicht zu Asche«. Der Vermählte wird versorgt sein. Aber er hat das Beste verloren, was das Leben ihm zu bieten hatte. Es ist eine Standardsituation des bürgerlichen Künstlerromans.

Die »ontologische Unsicherheit« der innerlich vaterlosen Flakhelferin Margot Wackwitz hat sich nach ihrer Rückkehr aus Amerika und einigen glücklichen Stuttgarter Jahren dann bald in einer jener scheinbar vernünftigen Entscheidungen verwirklicht, die sich zuziehen wie eine Schlinge und einem langsam die Lebensluft abdrehen. Meine Mutter konnte das »Risiko des Selbstseins«, von dem Heinz Bude in seinem Buch über ihre Generation spricht, nicht auf sich nehmen. Jene »Zustände symbolischer Verklammerung: mit der Familie, mit dem Kleinen und Überschaubaren« erwiesen sich als stärker. Dabei gab sie zu Beginn der sechziger Jahre für die Karriere ihres Mannes und die traditionelle Rolle einer im Betrieb mitarbeitenden Ehefrau und Mutter mehr auf als die Illusionen, die jede und jeder in der Jugend über sich hegt. Ihre Kunst war keine Illusion gewesen, sondern ein substantieller Beitrag des Familieneinkommens. Jetzt aber trat – ich war sieben Jahre alt und noch in der ersten Grundschulklasse – mein Vater in der Familienaufstellung nach vorn. Kunst, Mutter und ihr angeblich genialer Sohn fanden sich unversehens in einer Art familiärer Ausnüchterungszone wieder. Es hatte etwas Beschämendes. Ich fühlte es deutlich. Ich wusste es. Es tat weh. Die ödipale Party war vorbei.

Überhaupt ist die frühe Grundschulzeit eine Generalprobe der Pubertät. Man ist kein kleines Kind mehr. Plötzlich werden Ansprüche gestellt. Man weiß nicht mehr, wer man ist. Für mich jedenfalls reichte es nicht mehr, »schenial« und süß zu sein. Zumindest für Letzteres war jetzt eh meine kleine Schwester zuständig, und ich begann sie zu hassen dafür. Auch setzten sich die Erwartungen meiner Mutter an meine Genialität durchaus nicht in entsprechende Schulerfolge um.

Mein Vater bekam einen Job in Norddeutschland. Der Umzug in die sauerländische Provinz annullierte meine angestammte Vorzugsstellung in Familienhierarchie und Schule. Und meine Mutter war keine Künstlerin mehr, sondern jetzt beschäftigt mit Abrechnungen, Kassenverwaltung, Personalführung und Bankschecks. Was war passiert?

Seit meiner eigenen Lesekindheit vor einem halben Jahrhundert, als die Bücher Karl Mays noch allgegenwärtig waren, ist der koloniale Abenteuerroman ausgestorben in der deutschen Jugendliteratur. Diese Revolution unserer kulturellen Geschichte hängt nicht nur mit veränderten politischen Sensibilitäten zusammen. Sondern auch damit, dass seit den frühen sechziger Jahren erwachsene Frauen unvergleichlich mehr *fiction* lesen als Männer und auch die jugendlichen Leseratten inzwischen vorwiegend weiblich sind. Je weiter die sechziger Jahre vorrückten, desto ungelesener verstaubten die klassischen Bücher für Jungen, jene Abenteuer der Kara-ben-Nemsis, Lederstrümpfe und Winnetous, in den Regalen. Und erst recht werden die großen Kinder- und Jugendbucherfolge unserer Zeit von Frauen geschrieben und arbeiten die »längeren Gedankenspiele« spezifisch weiblichen Tagträumens literarisch aus.

Dafür legte sich das demokratische Nachkriegsdeutschland in seinen Jugendjahren einen postkolonialen und antikolonialistischen Abenteuerroman in Gestalt einer Institution zu. Das Goethe-Institut war ursprünglich Teil der »Deutschen Akademie« gewesen, einer Gründung der zwanziger Jahre nach dem Vorbild der »Académie Française«. Anders als diese sollte sie vor allem im Ausland die durch den Ersten Weltkrieg diskreditierte deutsche Kultur verbreiten. Thomas Mann und Ricarda Huch spielten bis 1933 bedeutende Führungsrollen in der »Deutschen Akademie«. Aber die Nazis hatten sie später faschistisch eingemeindet, und sie war von den Alliierten nach dem Krieg verboten worden. Jetzt, Ende der fünfziger Jahre, unternahm die deutsche Diplomatie wieder internationale Ausweitungs- und Suchbewegungen, die durch die Hallstein-Doktrin zwar noch gehemmt waren, in deren Verlauf sich jedoch bald zeigte, dass sie zu flankieren sein würden durch die Projektion der jetzt entstehenden deutschen Nachkriegskultur in die Welt. 1959 (als ich sieben wurde und mein Vater anfing, für das Goethe-Institut zu arbeiten) war ein Schlüsseljahr für die frühe bundesrepublikanische Literaturgeschichte. Die »Blechtrommel« erschien und war sofort ein internationaler Erfolg. Heinrich Böll veröffentlichte »Billard um halbzehn«. Siegfried Unseld übernahm den Suhrkamp Verlag. Und in New York wurde der Essayist und ehemalige SS-Mann Hans Egon Holthusen (»Der unbehauste Mensch«) Programmdirektor eines »German House« auf der Fifth Avenue, im ehemaligen Stadthaus des demokratischen Politikers James W. Gerard, der in den Jahren vor und während des Ersten Weltkriegs als US-Botschafter am deutschen Kaiserhof amtiert hatte.

Das ursprüngliche Goethe-Institut der zwanziger Jahre war eine Unterorganisation der »Deutschen Akademie« gewesen, die ausländische Deutschlehrer in Deutschland fortbildete. Auf diese halb selbständige Sonderabteilung hatte sich das alliierte Verbot der »Deutschen Akademie« nicht bezogen. Der Name war frei. Seit der Neugründung des Instituts in den frühen fünfziger Jahren hatte es als eingetragener Privatverein an seinen ursprünglichen Zweck angeknüpft. In kleinen Orten Deutschlands (in Kochel am See, Blaubeuren, Lüneburg, Iserlohn, Rothenburg ob der Tauber, Schwäbisch

Hall oder Prien am Chiemsee) wurden Deutschkurse für Ausländer angeboten, die sich schnell internationalen Ruf erwarben – durch ihre methodisch-didaktische Modernität, das idyllische »Lernumfeld«, ihr interessantes Rahmenprogramm und die Möglichkeit, schon ab der ersten Klassenstufe durchgehend Deutsch zu sprechen und mit Deutschen auch privat zusammenzukommen. Die ausländischen Studenten waren in deutschen Gastfamilien untergebracht und aßen in den ländlichen Gasthäusern der Institutsorte. Die Institutsleiter, von deren Frauen erwartet wurde, dass sie für einen geringen Gehaltsaufschlag die finanzielle Verwaltung dieser Betriebe übernahmen, waren so etwas wie Jugend herbergsväter, Schuldirektoren und akademische Honoratioren in einer Person und wohnten mit ihren Familien meistens auch in den Immobilien – oft schönen alten Villen –, die das Institut für den Sprachkursbetrieb angemietet oder gekauft hatte. Noch bevor Ralf Dahrendorf, unter Willy Brandt Staatssekretär des Auswärtigen Amts, in den späten sechziger Jahren das Goethe-Institut auch im Ausland zum Träger der schon bestehenden deutschen Kultureinrichtungen machte und die kulturelle Außenpolitik als »dritte Säule« deutscher Diplomatie installierte, war das Goethe-Institut mit seinen Filialen ein wirtschaftlich solides Geschäftsmodell deutscher Weltoffenheit.

Die Festanstellung meines zuvor denkbar prekär an einer Stuttgarter Dolmetscherschule beschäftigten Vaters am Goethe-Institut im Jahr 1959 war nun freilich eine sehr provinzielle Verwirklichung der ursprünglichen Auslandsträume meiner Eltern. Sie waren nicht bis nach London und New York gekommen, sondern nur bis Blaubeuren und Iserlohn. Professor war mein Vater, der aber trotzdem in seiner immer knapperen Freizeit in seiner immer ausgedehnteren historischen Bibliothek lebte und webte, auch nicht geworden. Und meine Mutter würde nicht nur nie für die New Yorker »Vogue« arbeiten, sondern sie zeichnete jetzt nicht mal mehr für die Stuttgarter Werbeagentur Hohnhausen. Stattdessen nahm sie Kursgebühren ein, machte Monatsabschlüsse, suchte abende- und wochenendenlang nach verschwundenen Pfennigbeträgen, suchte Studentenunterkünfte, schloss Untermietverträge ab, kontrollierte die Putzfrauen. Und bekam bei alldem eine so monumentale und habituell eingefleischte schlechte Laune, dass ihr siebenjähriger Genieprinz, der sich das alles nicht im Geringsten erklären konnte, sie überhaupt nicht mehr wiedererkannte und seiner verschwundenen Vorzugsstellung während langer und langweiliger Schulstunden unter dem autoritären Regiment unwirscher norddeutscher Lehrer nachtrauerte. *Auch Aggression stark gehemmt, die sich dann in gelegentlichen unkontrollierbaren Ausbrüchen Luft verschafft, sich nicht wehren können gegen die Ansprüche der Anderen aus Angst vor Liebesverlust (Buchführung, Kinder, Wackwitze). Wahrscheinl. zurückzuführen auf übertriebene Verdammungsreaktionen bei kindlichem Umgehorsam, vor allem im Vergleich zu meinen lammfrommen Schwestern. Elendes Gefühl nach einem Streit. Mit der Aggressionsabfuhr schade ich mir mehr als dem anderen, weil ich damit das herbeigeführt zu haben glaube, was ich am meisten fürchte: Liebesverlust. Daher: Mangel an Zivilcourage, Scheu andere ins Gesicht zu kritisieren (hintenrum, wenn sie es nicht hören: gerne). Ertragen von Unersprießlichem in Stummheit, z. B. meine ungeliebten Verehrer: P., C. usw. Unfähigkeit, meine Interessen höflich, aber bestimmt zu vertreten (G. – die Frau eines Kollegen meines Vaters, S. W. – mit ihrem Hundevieh). Die Abwehr bricht dann hin*

+ wieder unangemessen heftig durch (Gu.s Vater, Anschreien der Kinder, Dinge sagen, die man gar nicht sagen will, übertriebene Affektausbrüche).

Wie es zu dieser Zeit in meiner Mutter ausgesehen hat, kann ich im Rückblick in Richard Yates' Familienroman »Revolutionary Road« nachlesen, der in Amerika 1961 erschien und mir heute zeigt, dass das Elend meiner Mutter in diesen Jahren nicht ein zufälliges Einzelschicksal gewesen ist, sondern ein Trend der Zeit. Einem berühmten Romanbeginn zufolge gleichen die glücklichen Familien einander und nur die unglücklichen sind auf ihre jeweils besondere Weise unglücklich. Aber das stimmt nicht. Weil das familiäre Unglück in Wirklichkeit ein gesellschaftliches ist, sind die meisten unglücklichen Familien einander deprimierend ähnlich. »You were too young and good and scared. You played right along with it and that's how the whole thing started. That's how we both got committed to this enormous delusion – because that's what it is, an enormous, obscene illusion – this idea that people have to resign from real life and ›settle down‹ when they have families. It's the great sentimental lie of the suburbs, and I have been making you subscribe to it all this time. I've been making you *live* by it«, sagt April, die junge Ehefrau in Yates' »Revolutionary Road« zu ihrem Ehemann Frank, der zu den schönsten künstlerischen und intellektuellen Hoffnungen berechtigte, als sie ihn kennengelernt hat, und der jetzt in einer banalen Angestelltenexistenz untergeht.

Die Zahl weiblicher Erwerbstätiger stieg an seit 1945. Aber glücklicher und selbstbewusster wurden die Frauen dadurch nicht. Im Gegenteil. Die »Doppelbelastung« der Frauen durch familiäre Pflichten und ihre meist untergeordneten, oft ausbildungsfremden und schlechtbezahlten Jobs wurde in Zeitungskommentaren beklagt. Die unterdrückten Aggressionen, das Schuldgefühl und der Lebensekel, den sie als Preis ihrer Überforderung bezahlten, waren Themen populärer Zeitkritik. Das »Schlüsselkind« (eine Lehnübersetzung des amerikanischen *latchkey child*) wurde diesseits und jenseits des Atlantiks eine vielbesprochene und -beschriebene Figur sozialpädagogischer Sorge. Bis Mitte der fünfziger Jahre waren das Selbstbewusstsein und die gesellschaftliche Achtung, die sich weibliche Flakhelfer in der Endphase des Krieges erarbeitet hatten, gesellschaftlich noch in Kraft gewesen. Aber mit dem »Wirtschaftswunder« (das Wort wurde 1959 von der New York Times geprägt) verlor Westdeutschland den Respekt vor seinen Frauen wieder. Sie mochten arbeiten gehen und »mitverdienen«. Aber zu regulären Berufen, gar Karrieren konnten die für sie vorgesehenen Nischen des bundesrepublikanischen Erwerbslebens nur selten ausgebaut werden, und die meisten Frauen wurden zurückgedrängt in Rollen und Lebensformen, mit denen sie gar nichts mehr anfangen konnten.

Auch das »Zeichnen« meiner Mutter wurde nicht mehr gebraucht. Niemand außerhalb ihres ehemaligen Stuttgarter Kundenkreises kannte meine Mutter als Künstlerin, niemand in ihrem jetzigen Leben wusste überhaupt, dass sie jemals eine gewesen war. Das über mehr als ein Jahrzehnt erarbeitete psychologische, kulturelle und soziale Kapital, das ihre Befreiung aus der Vaterwelt einmal möglich gemacht hatte und ihr ganzer Stolz gewesen war, verlor mit unserem Umzug und dem neuen Beruf meines Vaters seine Geschäftsgrundlage. Anders als den frühen Werbegrafikern Richard Lindner und Andy Warhol war es meiner Mutter nicht gelungen, ihre Kunst so zu formatieren, dass sie in den Augen der Welt (ihrer Familie; meines Vaters) jetzt noch mehr hätte darstellen können als das lebensgeschichtliche Accessoire der interessanten Frau eines aufstrebenden jungen Mannes. Ihre künstlerische Vergangenheit, die doch einmal so viel mehr gewesen war als April Wheelers halbherziger Besuch einer Schauspielakademie in Richard Yates' »Revolutionary Road«, fand sich wieder auf derselben Stufe der Ernstgenommenheit wie andere künstlerische Hobbys wohlsituierter Ehefrauen. Die Kunst meiner Mutter war für alle relevanten gesellschaftlichen und familiären Distinktionszwecke entwertet und jetzt so etwas wie das dilettantische Aquarellieren, Seidenmalen und Töpfern gelangweilter Ehefrauen erfolgreicher Männer. Der gesellschaftliche Impuls des Lette-Künstlerromans wurde zurückgenommen. »Fahr wohl, bist nimmer ein Poet gewesen.« Das »Zeichnen« meiner Mutter war jetzt nicht viel mehr als das Jodeln, für dessen Erlernen (»Dö dudl dö«) Frau Hoppenstedt in Loriots bekanntem Sketch einen Kurs besucht, »damit sie etwas Eigenes hat«. Im schlechtesten Fall aber war es ein modisch-erotisches (und deshalb sogar ein bisschen anrüchiges) Allotria.

Und nicht einmal jene protokünstlerische Ausgestaltung unseres Familienlebens, auf die meine Mutter in Stuttgart noch so viel Wert gelegt hatte, war unter dem sich jetzt in ihrem Leben aufbauenden Zeitdruck noch möglich. Die Mithilfe der Ehefrau im Goethe-Institut mochte schlecht bezahlt sein und nicht recht ernst genommen werden. Aber sie war ein ziemlich anstrengender Nebenjob, vor allem für meine Mutter, die in diese Tätigkeit einerseits nicht die geringste Begabung oder Ausbildung einbringen konnte, andererseits fast unüberwindliche innere Widerstände gegen sie hegte. Die sie allerdings nicht wagte, zum Ausdruck zu bringen. Vielleicht waren sie ihr nicht einmal bewusst. Es gab jetzt jedenfalls keine nach dem Vorbild der »Kinder aus Bullerbü« inszenierten Familienmahlzeiten, Kindergeburtstage, Vorlesenachmittage, Weihnachtsabende, Ostereiersuchen und Kaffeetafeln mehr. Meine Schwester und ich gingen oft von der Schule direkt in ein billiges Restaurant, um mit unseren Eltern, deren Kollegen und ganzen Schulklassen von Sprachschülerinnen und Sprachschülern aus dem Senegal, Frankreich oder den USA ein Stammessen zu uns zu nehmen, vor dem wir uns ekelten. Ich wurde immer schlechter in der Schule. Ich prügelte mich mit den Kindern in der Nachbarschaft. Ich entwickelte mit neun oder zehn ein Magengeschwür, das mich wochenlang ins Krankenhaus verbannte.

An den Wochenenden zog sich mein Vater mit den Büchern, die unser Wohnzimmer in eine Art Seminarbibliothek verwandelt hatten, wo in seiner Anwesenheit nur im Flüsterton gesprochen werden durfte, in die imaginäre Welt seiner gescheiterten akademischen Karriere zurück. Meine Mutter dagegen hatte nichts außer ihrem deprimierenden Hilfsjob. Sie war nichts mehr. *Ich kann gar nichts mehr*, würde sie 1990 schreiben. Manchmal raffte sie sich dazu auf, die Stuttgarter Idylle mit elaborierten Familienfrühstücken wiederherzustellen, aber auch daraus wurde nicht mehr viel. Meine Schwester und ich hassten einander, denn wir konkurrierten erbittert um die knappen familiären Anerkennungsressourcen. Meine Mutter, auf die ich so stolz und in die ich so verliebt gewesen war, konnte ich damals nur noch sehen als eine Ruine ihres früheren Selbst. Das Leben, das sie sich und mir als das richtige vorgestellt (vielleicht eine Zeitlang sogar verwirklicht) hatte, war verloren. Ihre Ungeduld und Verzweiflung aber, die sie in ihrer neuen Lebenssituation regelmäßig übermannten, richteten sich auf ihren bisherigen Verbündeten, den mit ihr zusammen entthronten Sohn.

Aus dieser Zeit stammen Erinnerungen an sie, die mir heute noch weh tun. Es war mehr als Ungerechtigkeit und

Kälte, es war Grausamkeit in ihrem Verhalten zu mir in den frühen sechziger Jahren, und obwohl ich ahnte, dass meine Mutter sich mit ihrer neuen Haltung mir gegenüber selbst bestrafte und gewissermaßen zur Ordnung rief (sie hatte in ihrem Fühlen und ihrem Selbstbewusstsein ja lange kaum einen Unterschied gemacht zwischen mir und ihr selbst), bestand die Ausweglosigkeit unserer gemeinsamen Verzweiflung vor allem darin, dass ja gerade jetzt (»endlich«) in unserem Familienleben alles so eingerichtet war, wie jedermann glaubte, dass es eingerichtet sein müsste. Es gab in den frühen sechziger Jahren keine gesellschaftlich denkbaren Gegenmodelle dazu, wie wir lebten. Niemand in unserem Bekanntenkreis und in den Familien meiner Onkel und Tanten lebte anders.

Aus den Märchen stammt das Motiv, dass man nicht »das Beste vergessen« darf. Eine halbverwelkte Blume zum Beispiel, die den Zugang zu einem verborgenen Schatz eröffnet hat. Und weil der Märchenheld an den unscheinbaren Fetisch gar nicht mehr gedacht hat über den Edelsteinen, mit denen er sich die Taschen im Erdinneren vollstopfte, schließt sich die Öffnung im Berg dann für immer, und der Schatz hat sich, wenn er wieder am Tageslicht ist, verwandelt in Asche und Sand. Meine Mutter hatte zu Beginn der sechziger Jahre »das Beste vergessen«. Aber wo war denn, nach allen gängigen Maßstäben betrachtet, das Problem? Mein Vater hatte eine allgemein geachtete Arbeit. Wir hatten eine geräumige Wohnung. Ein gebrauchtes Auto wurde angeschafft. Wir fuhren in den Urlaub nach Tirol. Warum waren wir bei all dem in Wirklichkeit so unglücklich? Es musste an uns liegen. Oder empfand in Wirklichkeit nur ich das alles so? Dann musste es an mir liegen.

Und doch weiß ich heute, dass auch meine Mutter damals auf irgendeiner Ebene ihrer überforderten Seele gewusst hat, was mit mir und mit uns los war. Sie war, ohne dass sie wusste, wie ihr geschehen war, in ihre Esslinger Kindheit abgestürzt und muss sich damals so allein gefühlt haben wie früher in ihrem Elternhaus. Nur dass jetzt auch die Kunst, die sie einmal gerettet hatte, nur noch eine ferne und kraftlose Erinnerung war. Über ihre Gefühle und ihre Situation auch nur nachzudenken, muss um die Wende von den fünfziger zu den sechziger Jahren wirklich unmöglich gewesen sein. Meine Eltern liebten einander. Sie empfanden ihre Ehe als Erlösung aus ihren jeweiligen Familien. Sie hatten nichts als einander. Das Opfer, das meine Mutter brachte, durfte nicht besprochen werden oder überhaupt nur erkennbar sein. Es war ein Elefant im Raum. Niemand durfte hinsehen. Meine Mutter musste ihre Auf- und Ablehnung, wie sie es als Kind gelernt hatte, mit sich abmachen, in den erprobten Formeln und Mustern folgenloser Innerlichkeit.

Niemand in ihrer Umgebung, auch mein gutwilliger, liebevoller und vernünftiger Vater nicht, hätte etwas damit anfangen können, wenn sie damals gesagt hätte, was heute im Idealfall eine Frau sagen würde und was uns als das Richtige vorkäme. Nämlich etwa: Wir haben einen Fehler gemacht. Ich halte dieses Leben nicht aus. Unsere Kinder leiden darunter. Ich bin Künstlerin, und ich möchte als Künstlerin leben. Ich will hier raus. Lass uns gemeinsam eine Lösung suchen. »We both got committed to this enormous delusion – because that's what it is, an enormous, obscene illusion – this idea that people have to resign from real life and ›settle down‹ when they have families. It's the great sentimental lie of the suburbs, and I have been making you subscribe to it all this time. I've been making you *live* by it!« Solche Gefühle und die Entscheidungen, die aus ihnen hätten folgen müssen, konnten um 1960 tatsächlich das Leben kosten. Richard Yates' Roman spielt die tragische Ausweglosigkeit des Familien- und Erwerbslebens der späten fünfziger Jahre wie in einer soziologischen Versuchsanordnung durch, bis zum Tod seiner Heldin, der Verkümmerung ihres Mannes und der Verwahrlosung ihrer Kinder.

Meine Mutter hat die erlösende Familienaussprache damals nicht riskiert und nicht riskieren können. Aber ich weiß heute, nachdem ich über unsere frühen sechziger Jahre lang nachgedacht habe und den mir noch erreichbaren Erinnerungen, Dokumenten, Büchern und Spuren nachgegangen bin, dass sie zumindest einmal den Versuch unternommen hat, mir begreiflich zu machen, wie es in ihr aussah. Wie es in totalitären Systemen üblich ist, hat sie zur schlimmsten Zeit unserer gemeinsamen Besiegtheit und wachsenden Entzweiung, von sprachlosem Familienuntertan zu sprachlosem Familienuntertan sozusagen, ihren Sohn mit einem bedeutsamen Büchergeschenk angesprochen. Mit einem literarischen Kassiber, den ich damals nur ungefähr verstanden habe und dessen Botschaft erst heute vollständig bei mir angekommen ist. Es war »Bambi« von Felix Salten. Sie schrieb eine Widmung in den Band aus grünem Leinen mit den Federzeichnungen von Hans Bertle, die mir heute noch gegenwärtig ist: *Für Stephel, damit er weiß, daß Mutti ihn trotz allem immer lieb hat.*

Eine vertrauliche Mitteilung aus dem Jahr 1960

I just want you to hurt like I do.
Randy Newman

Ich kann damals höchstens neun Jahre alt gewesen sein. Wir lebten in Iserlohn, im ehemaligen Dienstbotentrakt einer Villa aus der späten Gründerzeit. Dunkel holzgetäfelte Salons im Erdgeschoss und auf der Beletage beherbergten die Unterrichtsräume und Büros des Goethe-Instituts. Ein großer Garten lag hinter einer Mauer. Das herrschaftliche Gebäude aus dem frühen zwanzigsten Jahrhundert zeigte den zurückgenommen historistischen Formenschmuck der Werkbund-Architektur. Über die Straße lag eine ehemalige Mädchenschule im Stil des Backstein-Wilhelminismus. Nachbarhäuser wiederum gipfelten sich neugotisch empor oder hatten streng symmetrische Neo-Renaissance-Fassaden. Nicht weit entfernt taten sich unbebaute Wiesenabhänge auf, wo meine Schwester und ich im Herbst Drachen steigen ließen und weit in die hügelige Stadtlandschaft hinaussehen konnten. Morgens wanderte ich ein paar Straßen weit zu einer monumental aufgetürmten Volksschule, deren Lehrer, Klassenzimmer und Noten ich hasste und wo ich mit meinem schwäbischen Dialekt, meiner schüchternen Selbstbezogenheit und zunehmenden Wunderlichkeit ein Außenseiter war. »Schulkameraden« pflegten mir morgens und am frühen Nachmittag aufzulauern und mich auf verschiedene Weise zu behelligen. Ich schlug zurück oder auch unprovoziert zu, war immer schon im Unrecht und isolierte mich täglich mehr.

Der Job meines Vaters als Gründungsdirektor des Goethe-Instituts in Iserlohn war prekär und unerfreulich. Die Nachbarn nahmen meinem Vater übel, dass er »die Neger« ins Viertel gebracht hatte – ein anonymes Schreiben unter den Scheibenwischern unseres VW-Käfers informierte uns darüber. Die Autoantenne wurde von unseren unsichtbaren Feinden beharrlich jede Nacht wieder neu abgebrochen. Irgendjemand warf wochenlang Müll über die Mauer des Anwesens und einmal sogar verfaultes Fleisch, das meine kleine Schwester entsetzt in den Beeten entdeckte. Monatelang gelang es meiner Mutter nicht, zu Beginn der Kurse ausreichend Gastfamilien für die bereits angereisten ausländischen Studenten zu finden. Noch in den frühen sechziger Jahren waren altnationalsozialistische Einstellungen in der westdeutschen Provinz ein Fundament des allgemeinen Volksempfindens, gegen das sich der Weltläufigkeitsanspruch des Goethe-Instituts, zumindest in Iserlohn, nur mühsam durchsetzen konnte. Meine Mutter nahm die Feindseligkeit »der Westfalen«, die im Familiensprachgebrauch ein Synonym für *den Feind* zu werden begannen, sehr persönlich. Die Buchführung überforderte sie ebenso wie die Tatsache, dass mein Vater jetzt auf einmal nicht nur ihr Ehemann, sondern in einem sehr konkreten arbeitsrechtlichen Sinn ein Vorgesetzter war. Zahlreiche Fehler und Anfängerschnitzer bei der Verwaltung des Instituts beschworen nicht nur geschäftliche Katastrophen, sondern auch eheliche Unstimmigkeiten herauf. Die Eleganz ihrer Stuttgarter Garderoben war an die sauerländische Provinz verschwendet und für unsere Nachbarn eher eine Provokation.

»The mass of men lead lives of quiet desperation«, hat Henry David Thoreau geschrieben. Die Iserlohner Verzweiflung meiner Mutter war – wenn sie in der Überforderung mit uns Kindern überhaupt noch sprach – statt still eher betäubend laut und schrill. Ihr familiärer Umgangston hatte eine hysterisch-tornadohafte Unberechenbarkeit angenommen, die ich an ihr nicht kannte. Der Druck, unter dem sie stand, setzte das Charaktererbe meines Großvaters frei. Mein Vater ließ sich nichts anmerken und tat stoisch-verbissen seine Berufspflicht.

Wenn das sich zwischen uns ausbreitende Familienschweigen aufbrach, wurde es jetzt oft gefährlich. Ermahnungen oder Verwarnungen meines Vaters erfolgten neuerdings sehr beiläufig, sozusagen abgewandten Gesichts (er hatte so viel mehr und Wichtigeres zu tun); und in einer bedrohlich leisen Tonlage, die ebenfalls neu war. Ein ungeschicktes, verfrühtes und verklemmtes Aufklärungsgespräch mit meiner Mutter über die Modalitäten menschlicher Fortpflanzung (die mich nicht im Geringsten interessiert hatten) verstörte mich wochenlang. In meinem neuerworbenen Wissen schien sich die ungute Veränderung unserer Lebensverhältnisse symbolisch zu konzentrieren. Ich wusste jetzt, wie es wirklich war. Eine lächerliche und ekelhafte Schweinerei befand sich im Zentrum des Weltgeschehens, unserer Familienexistenz und meines Vorhandenseins auf der Welt; man konnte offenbar überhaupt niemandem mehr trauen. Es war, als hätte es unser früheres Leben in Stuttgart nie gegeben. Die Welt bestand jetzt nur noch aus Peinlichkeit. Wenn das die Erwachsenenwirklichkeit war, konnte sie mir gestohlen bleiben. Die Straßen des Villenviertels, das Katzenkopfpflaster, die alten Bäume, der Wiesenabhang mit dem Blick über Hügel, Häuser und Wälder, der weitläufige Garten um das schöne Haus spendeten niemandem von uns, mir schon gar nicht, irgendeinen Trost.

Die bürgerlich soliden Täfelungen, Geländer und Ornamente des Institutsgebäudes waren mir unheimlich. Das große, fremde, elegante Haus war der angstvolle Arbeitsplatz meiner Eltern. Für uns Kinder bedeuteten die Zimmerfluchten, Glastüren, Mahagonifreitreppen und Foyers Langeweile, Ratlosigkeit und Verwahrlosung. Wir bewohnten einen unsicheren Ort, wo wir gemeinsam mühsam eine kundenfreundliche Fassade aufrechtzuerhalten hatten, wo ein entspanntes Privatleben kaum Rückzugsräume fand und wir alle eigentlich nur störten. Irgendwo in diesem auf den ersten Blick luxuriösen, in Wirklichkeit tieftraurigen Anwesen muss ich das Buch gelesen haben, bei dessen Lektüre mich heute noch eine fast nicht zu ertragende Melancholie anwandelt.

Die Entdeckungsreise, die ich als erwachsener Familienforscher in die herzzerreißenden Seiten von »Bambi. Eine Lebensgeschichte aus dem Walde« ein zweites Mal unternahm, begann mit der erstaunlichen Erkenntnis, dass die Beschreibung jener »ozeanischen« Kindergefühle im Brief meiner Mutter von 1981, die man auf den ersten Blick für ein denkbar persönliches Erlebnis hält, in Wahrheit eine literarische Deckerinnerung sind und ihr Vorbild in Saltens Roman haben. In »Bambi« ist die weibliche Imagination des frühen zwanzigsten Jahrhunderts offenbar auf ähnliche Weise zugleich ausgedrückt und vorgeformt gewesen, wie man das von Goethes »Leiden des jungen Werthers« und dem Seelenleben junger Leute um 1770 weiß. »Bambi sprang hinaus. Eine ungeheure Freude ergriff ihn so zauberhaft stark, dass er sein Bangen im Nu vergaß. Er hatte im Dickicht nur die grünen Baumwipfel über sich gesehen, und darüber nur manchmal, nur in kleinen Durchblicken, verstreute blaue Sprenkel. Jetzt sah er das ganze Himmelblau hoch und weit, und das beglückte ihn, ohne dass er wusste, weshalb. Von der Sonne hatte er im Walde nur einzelne, breite Strahlen gekannt oder das zarte Gerinnsel von Licht, das golden durch die Zweige spielt. Jetzt stand er plötzlich in der heißen, blendenden Macht, deren unbedingtes Herrschen auf ihn eindrang, stand mitten in dem Glutsegen, der ihm die Augen schloss und das Herz öffnete. Bambi war berauscht; er war vollkommen außer sich, er war einfach toll. Unbeholfen sprang er in die Höhe, dreimal, viermal, fünfmal auf dem Fleck, auf dem er stand. Er konnte nicht anders; er musste. Es riss ihn, in die Höhe zu springen. Seine jungen Glieder spannten sich so kräftig, sein Atem ging so tief und leicht, und er trank mit dem Atem, trank mit allem Duft der Wiese so viel übermütige Heiterkeit, dass er eben springen musste. Bambi war ein Kind. Wäre er ein Menschenkind gewesen, hätte er gejauchzt.«

Die Korrespondenz zwischen Roman und autobiographischer Erinnerung verweist, ebenso wie das lange Nachleben des Romans in Disneys Film, auf die verborgene Schlüsselstellung von Saltens »Bambi« in der Innerlichkeitsgeschichte des letzten Jahrhunderts. Saltens Tierbiographie erschien 1923. Das Geheimnis ihres bis heute anhaltenden Erfolges besteht offenbar darin, dass mit der romanhaft-sentimentalen Ausgestaltung der traditionellen Tierfabel Standardsituationen der bürgerlichen Kindheit und des Frauenlebens um 1920 bearbeitet werden. Zum Beispiel haben im Leben der Kinder und Frauen der zwanziger Jahre jene von Freud 1927 in »Die Zukunft einer Illusion« analysierten Kindheitsgefühle kosmischen Überschwangs offenbar tatsächlich eine große – aber heute nicht mehr recht nachvollziehbare – Rolle gespielt. Sie waren eine Art Mode des Unbewussten. In diesen »ozeanischen Gefühlen« erschien das Bild einer ursprünglichen Geborgenheit in der Welt, mit der es unterm Druck autoritärer Erziehung lebensgeschichtlich dann bald aus war. Solche Gefühle scheinen inzwischen so ausgestorben wie die autoritäre Erziehung, der sie sich verdankten. Schon ich kann mich aus meinen fünfziger Jahren an derlei nicht erinnern.

Stattdessen erkenne ich in Saltens »Bambi« auf Anhieb eine andere narzisstische Ursprungserfahrung wieder. Es ist die irgendwie noch lebendige Erinnerung an die »Mutter-Kind-Dyade«, in der das »Urvertrauen« des Kindes zur Welt entsteht, ein in den fünfziger Jahren von Alfred Lorenzer so benanntes psychoanalytisches Konstrukt, das eine wichtige Rolle in der um 1950 in Mode kommenden Theorie und Analyse narzisstischer Störungen spielen sollte. »Bambi drückte sich eng an die Mutter. Er vergaß die Wiese. Es war so behaglich, hier zu sitzen und zuzuhören, wenn die Mutter erzählte. Als dann die Mutter schwieg, dachte er nach. Er fand es lieb von den guten alten Bäumen, dass sie so fleißig aufpassten, obwohl sie doch welk und erfroren waren und schon so viel durchgemacht hatten. Er überlegte, was das wohl eigentlich sein konnte, die Gefahr, von der die Mutter immer redete. Aber das viele Nachdenken strengte ihn an; es war still ringsumher, man hörte nur, wie die Luft kochte vor Hitze. Und er schlief ein.«

Die Dyade ist bedroht. Es gibt *Gefahr* irgendwo dort draußen. Auf sie muss Bambi vorbereitet werden. Dem dient die autoritäre Erziehung. Deren Theoretikerin hieß noch in den fünfziger Jahren Johanna Haarer. Ihr Ratgeber »Die deutsche Mutter und ihr erstes Kind« war seit 1934 das Standardwerk nationalsozialistischer Früherziehung. In einer um die offen faschistischen Passagen bereinigten Fassung (das Buch hieß jetzt »Die Mutter und ihr erstes Kind«) hat auch meine Mutter zu Beginn der fünfziger Jahre diesen Klassiker schwarzer Pädagogik gekauft und gelesen. Und in der Dachstube am Esslinger Zollberg richtete auch sie sich, wie vermutlich eine ganze Generation weiblicher Flakhelfer, nach den brutalen und idiotischen Vorschriften der Johanna Haarer, so unsicher und autoritätsgläubig, wie junge Mütter nun einmal sind. »IV. Alle Tage wird zu denselben Zeiten gestillt. Nach diesen Zeiten richtet sich der ganze Tageslauf der jungen Mutter. Alle anderen Tätigkeiten müssen sich diesem Plan einordnen. (…) V. Außerhalb der regelmäßigen Trinkzeiten gibt es keinen Grund, das Kind an die Brust zu nehmen! Die meisten Mütter sind versucht, diese Regel zu übertreten, wenn ihr Kind schreit. Dem muss aber auf andere Weise abgeholfen werden … Auch wenn das Kind auf die Maßnahme der Mutter mit eigensinnigem Geschrei antwortet, ja gerade dann lässt sie sich nicht irre machen. Mit ruhiger Bestimmtheit setzt sie ihren Willen weiter durch, vermeidet aber alle Heftigkeit und erlaubt sich unter keinen Umständen einen Zornesausbruch. Auch das schreiende und widerstrebende Kind muss tun, was die Mutter für nötig hält, und wird, falls es sich weiterhin ungezogen aufführt, gewissermaßen ›kaltgestellt‹, in einen Raum verbracht, wo es allein sein kann und so lange nicht beachtet, bis es sein Verhalten ändert.

Man glaubt gar nicht, wie früh und rasch ein Kind solches Vorgehen begreift.«

In Wirklichkeit begriffen die alleingelassenen Säuglinge der dreißiger, vierziger und fünfziger Jahre gar nichts. Sie begriffen, wie man inzwischen durch Experimente herausgefunden hat, nicht einmal die grundlegende Welttatsache, dass es ihre Mütter während deren Abwesenheit überhaupt noch gab. Im Seelenleben von Säuglingen hat sich noch nicht entwickelt, was der Kindheitsforscher Jean Piaget »Permanenz« nennt. Sie hatten, während sie hungrig und allein in ihren Kinderzimmern weinten, vermutlich das Gefühl, sterben zu müssen. Und in allen Verlassenheitserlebnissen ihres späteren Lebens würde sich der Abgrund frühkindlicher Todesangst noch einmal auftun. Weshalb sie die Risiken und Chancen des Lebendigseins tunlichst vermieden und zeitlebens blieben, was und wo sie waren.

Aber »die Zeit verstreicht, und Bambi lernt, wie fein die Grasrispen schmecken, wie zart die Blätterknospen sind, und wie süß der Klee ist. Wenn er sich an seine Mutter drängt, um sich zu erquicken, so geschieht es oft, dass sie ihn abweist. ›Du bist doch kein kleines Kind mehr‹, sagt sie. Manchmal sagt sie geradezu: ›Geh, lass mich in Ruhe.‹ Es kann geschehen, dass die Mutter in der kleinen Waldkammer aufsteht, mitten am Tage aufsteht und fortgeht, ohne darauf zu achten, ob Bambi ihr folgt oder nicht. Manchmal scheint es auch, wenn sie die gewohnten Wege wandern, als ob die Mutter gar nicht merken würde, dass Bambi hinter ihr ist und brav hinter ihr herläuft. Eines Tages ist die Mutter weg. Bambi weiß nicht, wie das möglich war, er kann sich's gar nicht erklären. Aber die Mutter ist fort und Bambi zum ersten Mal allein. Er wundert sich, er wird unruhig, es wird ihm angst und bang, und er beginnt sich erbärmlich zu sehnen. Ganz traurig steht er da und ruft. Niemand antwortet, niemand kommt.«

Von der Mutter ist Bambi verlassen. Angst überwältigt ihn. Erst jetzt begegnet ihm die Welt des Vaters. Sie hat das Gesicht gesellschaftlicher Autorität. »Plötzlich stand einer

der Väter vor ihm und sah ihn strenge an. Bambi hatte ihn nicht kommen hören, und er erschrak. Der Alte war gewaltiger anzuschauen als die anderen, höher und stolzer. Sein Rock flammte in tiefer, dunkler Röte, aber sein Gesicht schimmerte schon silbergrau; und mächtig überragte eine hohe, schwarz geperlte Krone die spielenden Lauscher. ›Warum rufst du?‹, fragte der Alte streng. Bambi erzitterte vor Ehrfurcht und wagte keine Antwort. ›Deine Mutter hat jetzt nicht Zeit für dich!‹, fuhr der Alte fort. Bambi war ganz vernichtet von dieser gebieterischen Stimme, zugleich aber bewunderte er sie. ›Kannst du nicht allein sein? Schäme dich!‹ Bambi wollte sagen, dass er ganz gut allein sein könne, dass er schon oft allein gewesen sei, aber er brachte nichts heraus. Er war gehorsam und schämte sich fürchterlich. Der Alte kehrte sich ab und war fort.«

Gewalt, Höhe, Stolz, Strenge, Gebot, Macht, Abkehr, Zeitmangel sind im väterlichen Gesicht der Gesellschaft zu lesen. Dem antworten Bambis Beschämung, Sprachlosigkeit, Ehrfurcht, Vernichtetsein, Zittern, Scham, Bewunderung. Ich verteidige es gegen jeden Vorwurf der Überinterpretation: Ich bin überzeugt, dass meine Mutter mir damals sich und ihr Verhalten zu mir, unsere familiäre Zwangslage und sogar den Zustand der Gesellschaft mit Hilfe von Saltens Roman erklären wollte. Mehr noch: Sie wollte sich bei mir irgendwie entschuldigen. Die autobiographische Geste, die das Büchergeschenk meiner Mutter gewesen ist, zeigte mir als Neunjährigem, unter welchen Zwängen sie noch um 1960 (es ist noch nicht einmal sechzig Jahre her) leben zu müssen glaubte. Sie konnte nicht heraus. Sie konnte nicht einmal sagen, wie ihr zumute war. Es gab für sie keine Alternative. Es war nichts zu machen. Unser Familienleben war ein mythischer Zwang.

Auch das Leben der Rehe in Saltens Roman steht unter einem Verhängnis. Im Wald herrscht das Schicksal. Salten, der auch als Autor der fiktiven Biographie einer Wiener Prostituierten namens Josefine Mutzenbacher gilt, war ein berühmter Erotiker und *homme à femmes*. Legendär ist der Vorfall im Wiener Café Griensteidl, als Salten Karl Kraus ohrfeigte, weil der seine Freundin und künftige Frau beleidigt hatte. Salten glaubte die Frauen seiner Zeit zu verstehen. Sie lebten im Wien Arthur Schnitzlers, Sigmund Freuds und Otto Weiningers in gesellschaftlichen Zwangslagen, die aufgrund ihrer seit Jahrhunderten angestammten Unumstößlichkeit etwas Urgeschichtliches angenommen hatten. Bloß noch Hysterie verschaffte Erleichterung. Seelische Erkrankung war die einzige Alternative zu einem gesellschaftlichen Leben, das sich akzeptable (oder überhaupt nur verständliche) weibliche Daseinskarrieren nur in den Sozialschablonen der frustrierten Matrone, des süßen Madl, der früh gealterten Arbeiterfrau oder anderer Verlierermodelle vorstellen konnte. In »Bambi« schrieb Salten, neben vielem anderen, eine kollektive weibliche Biographie des späten österreichischen Kaiserreichs.

Seine Darstellung der klassischen bürgerlichen Geschlechterverhältnisse im Gleichnis des Tierromans könnte auch nach Faline benannt sein, der Kinderfreundin und späteren Gefährtin des Helden. Besonders in dieser Figur erkannte, glaube ich heute, meine Mutter ihr eigenes familiäres und gesellschaftliches Schicksal wieder und gab mir zu verstehen, dass sie unter ihm litt, ohne etwas an unserer Situation ändern zu können. »Tante Ena sagte feierlich: ›Das waren die Väter.‹ Sonst wurde nichts mehr gesprochen, und man trennte sich. Tante Ena zog mit ihren Kindern gleich hier ins nächste Gebüsch. Es war ihr Weg. Bambi musste mit der Mutter über die ganze Wiese bis zur Eiche, um die gewohnte Straße zu gewinnen. Er schwieg lange. Endlich fragte er: ›Haben sie uns nicht gesehen?‹ Die Mutter verstand, was er meinte, und erwiderte: ›Gewiss. Sie sehen alles.‹ Bambi fühlte sich beklommen, er scheute sich, Fragen zu stellen, aber es drängte ihn zu gewaltig. Er setzte an: ›… Warum …‹, und schwieg. Die Mutter half ihm: ›Was willst du sagen, mein Kind?‹ ›Warum sind sie nicht bei uns geblieben?‹ ›Sie bleiben nicht bei uns‹, antwortete die Mutter, ›nur zu Zeiten …‹ Bambi fuhr fort: ›Warum haben sie nicht mit uns gesprochen?‹ Die Mutter sagte: ›Jetzt sprechen sie nicht mit uns … Nur zu Zeiten … Man muss warten, bis sie kommen, und man muss warten, bis sie zu uns reden … wie es ihnen gefällt.‹«

Das Waldverhängnis, in das sich die Standesschranken und Genderbegrenzungen, die gesellschaftliche Verklemmtheit, die weibliche Ohnmacht, die patriarchalische Gefühlskälte, die Verfallenheit der bürgerlichen Gesellschaft an den erotischen Mythos verkleidet haben, wird im Leben der Einzelnen erfahren als Einsamkeit. In sie zieht sich Bambi zurück, als er seine Bestimmung erkennt. »Bambi war allein. Er ging an das Wasser, das still zwischen Schilf und Uferwiesen dahinfloss.« Oder: »Bambi war Faline begegnet in dieser Nacht. Sie sah ihn traurig an und war sehr schüchtern. ›Ich bin so viel allein‹, sagte sie. ›Auch ich bin allein‹, erwiderte Bambi zögernd. ›Warum bleibst du nicht mehr bei mir?‹, fragte Faline demütig, und es schmerzte ihn, dass die muntere, dreiste Faline nun so ernst und unterwürfig war. ›Ich muss allein sein‹, entgegnete er. Doch so schonend er es hatte sagen wollen, es klang hart. Er hörte es selbst. Faline sah ihn an und fragte ganz leise: ›Liebst du mich noch?‹ Bambi erwiderte ebenso: ›Ich weiß es nicht.‹ Da ging sie still von ihm fort und ließ ihn allein.« Ein andermal, später im Roman, heißt es: »Eben wollte Bambi sich gleichgültig abwenden und weggehen, da erkannte er Faline. Seine erste Regung war, hervorzuspringen und sie zu rufen. Aber er blieb stehen wie festgebunden. So lange Zeit hatte er Faline nicht gesehen.

Sein Herz begann heiß zu klopfen. Faline ging langsam, als wenn sie müde wäre oder traurig. Sie glich jetzt ihrer Mutter, sah aus wie Tante Ena, und Bambi bemerkte das mit einem wunderlich quälenden Staunen.«

Die bürgerliche Gesellschaft zerstört die Frauen. Bambis Mutter wird bei einer Treibjagd erschossen. »Bambi sah seine Mutter niemals wieder.« Diesen Satz, der mir um 1960 die Wahrheit über unser Iserlohner Familienleben auszusprechen schien, konnte ich als Kind nicht lesen, ohne hemmungslos zu weinen. Und noch heute nimmt mich die Lektüre des Romans sehr mit. Zum Beispiel deshalb, weil mir auf den Seiten dieses Buchs nicht nur die mythische Ödnis traditionellen Familienlebens vor Augen geführt wird, sondern auch meine Unfähigkeit zum Leben in einer Familie, die ich damals erworben zu haben scheine. Und Faline, die durch das Erwachsenenleben besiegte Rehfrau (sie »ging langsam, als wenn sie müde wäre oder traurig«), ist in diesen depressiven Lesemomenten dann nicht nur meine Mutter, sondern auch die Frauen, die ich in den letzten Jahrzehnten verlassen habe (verlassen zu müssen glaubte). Meine Mutter jedenfalls, zu der sich später wieder ein sehr liebevolles Verhältnis hergestellt hat, sah ich so, wie sie mir in den fünfziger Jahren in Amerika und in Stuttgart erschienen ist, in jenem trügerischen narzisstischen Kindheitsglanz von Kunst, Erotik, gemeinsamer familiärer Zukunft und Kreativität, wirklich niemals wieder. So eng wir später wieder wurden und dann bis zu ihrem Tod blieben – eine Zerbrochenheit, die im Krieg gründete und dessen Vorgeschichte in sich trug (jenes neunzehnte Jahrhundert, das in Esslingen bis weit ins zwanzigste hinein noch halb mittelalterlich war), blieb seit den frühen sechziger Jahren in uns beiden zurück. Es war nicht nur unsere. Sondern auch die eines Jahrhunderts, das die Gefühle und Rechte der Frauen, ihre Kunst, ihre Berufe und ihre Lebensperspektiven lange so wenig ernst genommen hat wie die ihrer Kinder.

Verblühender Frühling
(Selbstbildnis als Radiobastler)

Wahrscheinlich ist unser Haus in der Wirklichkeit der frühen sechziger Jahre viel weniger weitläufig und unübersichtlich gewesen als in meiner Erinnerung heute. Das Obergeschoss des Goethe-Instituts, wo auch die Wohnung des Institutsleiters lag, war durch verschiedene Umbauten über die Jahre in ein irgendwie unlogisches und mich in der Rückschau an Installationen des Raumkünstlers Gregor Schneider erinnerndes Labyrinth aus Sperrholzabtrennungen, temporären Gipskarton-Wänden, Nebenkabuffs und zum Teil fensterlosen Sonderräumen verwandelt worden. Von einem Vestibül, das noch düsterer wirkte dadurch, dass es mit sehr dunkelgrünem Linoleum ausgelegt war, ging ein Gang zu einem Büro ab, zugleich betrat man von hier aus unsere Wohnung. Rechts von der Wohnungstür aber führte eine mit Holzplanken verkleidete Treppe hinauf in ein staubgraues und nach trockenem Holz duftendes Geister- oder Zwischenreich aus Balken, Fensterluken, bettlakenverhängten Möbelstücken, ausrangierten Büchern, selten benutzten Koffern und vergessenen Umzugskartons. Ein großer, durch keine Wände mehr unterteilter, perspektivenreicher Raum tat sich auf, aus dessen Luken und Gaubenfenstern ich weit ins Land sah.

Eine Zeitlang war mir unser Dachboden unheimlich gewesen. Jetzt aber, nachdem ich kein kleines Kind mehr war und mich außerdem vom wichtigsten Menschen meines Lebens verstoßen fühlte, machte ich mich immer häufiger seelisch selbständig, indem ich über das *rabbit hole* jener Treppe in eine Oberwelt scheinbar verminderter Realitätsdichte davonging. Sie war zwar nur eine Zimmerdeckenhöhe weit von den mir fremd gewordenen Familienverhältnissen entfernt, schien aber in einer anderen Stadt zu liegen. Denn Gärten und Straßen, Kirchen, Fabriken und Hügel sahen aus den Dachluken in einer Weise anders aus, die etwas zu bedeuten schien. Hier träumte ich zum Fenster hinaus, las in einem mottenzerfressenen Sessel James Krüss oder Karl May und lebte mich nachmittagelang in die Phantasie hinein, es gäbe meine Eltern, meine kleine Schwester, die Schule und überhaupt die ganze mir unverständlich gewordene und mich sinnlos anmutende Welt dort unten längst nicht mehr.

Was mich im poetischen Schmollwinkel meiner keimenden narzisstischen Störung aber vor allem und ganze Wochenenden lang beschäftigen konnte, ging auf eine Anregung zurück, die ich aus der Iserlohner Stadtbibliothek in Gestalt einer farbigen Broschüre nach Hause gebracht hatte: »Radiobasteln für Jungen«. Auf dem Umschlag waren zwei Teenager zu sehen, die bis zum obersten Knopf zugeknöpfte Hemden anhatten und denen, während sie sich über aufgeschlagene Bücher beugten und an geheimnisvollen Arrangements aus Spulen, Röhren und Holzplatten zu schaffen machten, schwungvolle Kraft-durch-Freude-Scheitel ins Gesicht hingen. Neben solchen Bastlerbüchern – in denen zum Beispiel faszinierende Detektorempfänger beschrieben wurden, die man angeblich in Zigarrenkisten einbauen und in der Jackentasche mit sich herumtragen konnte – vertrieb die Stuttgarter Franckh'sche Verlagsbuchhandlung bereits seit den zwanziger Jahren die von dem Schweizer Reformpädagogen Wilhelm Fröhlich entwickelten »Kosmos«-Kästen. Das waren naturwissenschaftliche Lehrmittelsammlungen für den Hausgebrauch, die unter Namen wie »Optikus«, »All-Chemist« oder »Elektromann« einleuchtend aufgebaute Serien von Experimenten und Basteleien ermöglichten. Das notwendige Zubehör, alle Werkzeuge und Ingredienzien waren als säuberlich aufgereihte Taxonomien in eine Darbietungspalette aus Karton eingebettet und sehr nachvollziehbar, lehrreich und verständlich beschrieben in Anleitungsbroschüren, deren Bilder und Diagramme mir heute noch vor Augen stehen.

Den historisch ersten und seit den zwanziger Jahren wissenschaftlich und bastlerisch am besten durchgearbeiteten Kasten dieser Art – »Radiomann« – fand ich an einem Weihnachtsabend in den frühen sechziger Jahren unter dem Baum (zusammen mit einem Norwegerpullover, dessen Ärmel meine Mutter so um den flachen Karton gelegt hatte, als hielte er ihn an die Brust gedrückt; ein »Stuttgarter« *touch*, der mich noch heute rührt). »Radiomann« ist ganz sicher das folgenreichste und mich am nachhaltigsten glücklich machende Geschenk meiner Kindheit gewesen – und wie mir heute manchmal scheinen will, vielleicht sogar meines ganzen Lebens. Der Radiobastelkasten wurde beworben mit einem Vers, der in einer Art Schülerschönschrift auch auf seinen Deckel gedruckt war: »Vom Gebirg zum Ozean, alles hört der Radiomann«. Schon vor dem Zweiten Weltkrieg war Radiobasteln ein populäres und irgendwie zeitgemäßschickes Hobby gewesen. Es erscheint auf überraschend zahlreichen Gemälden der »Neuen Sachlichkeit«, die den Radiohörer und -bastler neben der Hure und dem Kriegskrüppel zu ihren originären ikonographischen Erfindungen zählen kann. So schaut zum Beispiel auf dem Bild »Verblühender Frühling – Selbstbildnis als Radiobastler«, einem Gemälde Wilhelm Heises von 1926 im Münchner Lenbachhaus, der Künstler entrückt, fast ekstatisch ins Weite – Botschaften und Klängen lauschend, die aus unbestimmten und halb imaginären Sphären – dem »Äther«, wie es damals hieß – in seine abgeschlossene Intimitäts- und Autonomiesphäre zu dringen scheinen. Oder hört er innere Stimmen? Spulen, Drähte, Röhren umgeben ihn, halbleere Kaffeetassen, Pinsel, Schraubenzieher, Klebstoffflaschen, Scheren,

© Städtische Galerie im Lenbachhaus, München

Zangen, Aschenbecher und Topfpflanzen. Er gleicht inmitten dieses kreativen Gerümpels der bekannten Dürer'schen Allegorie melancholischer Erleuchtung. Radiobasteln ist das Gleichnis seiner Kunst. Er schaut durch ein Dachbodenfenster in den Himmel.

»Es ist kein unbedingt neuer, zumeist auf Wittgenstein zurückgeführter Gedanke«, schreibt Niklas Luhmann in seinem Buch über Kunstsoziologie, »die Frage zu stellen, wie die Welt sich selber beobachten könne. Mit dem Zurücktreten der religiösen Weltsetzung, mit dem Fraglichwerden der Beobachtung des Weltbeobachters Gott, kommt es zu der Frage: wer denn sonst? und wie denn sonst? Es meldet sich das Subjekt, zuweilen unter dem Pseudonym ›Geist‹. Auch die Kunst sieht seit der Romantik hier ihre Chance. Andere Möglichkeiten, vor allem solche der Physik, werden zunächst abgewiesen.« In den zwanziger und dreißiger Jahren des letzten Jahrhunderts allerdings, zur Zeit der Erfindung des »Radiomann«-Kastens, erhoben Technik und Naturwissenschaft (vor allem tatsächlich die Physik), ermutigt durch die berühmten Entdeckungen und Erfindungen der Zeit, aber auch durch den sowjetischen Leninismus und den amerikanischen »New Deal«, längst utopische und sogar religiös-welterlösende Ansprüche. Unter anderem eben denjenigen, die ganze Welt beobachten zu können. »Vom Gebirg zum Ozean, alles hört der Radiomann.« Man begeisterte sich in der Zeit zwischen dem Ersten und dem Zweiten Weltkrieg für die Technik, weil sie den Menschen die Geborgenheit und das Bescheidwissen über die Welt zurückgeben zu können schien, die ihnen mit der Religion verlorengegangen waren. Und die Begeisterung der zwanziger Jahre drang als historisches Echo deshalb so machtvoll in meine späte Kindheit, weil auch ich alle meine angestammten Sicherheiten und Weltverständnismöglichkeiten verloren hatte. Technische und naturwissenschaftliche Bastelei ersetzte mir damals eine Weltordnung, die in der frühen Kindheit geherrscht hatte und jetzt verloren war – die Geborgenheit jener »Mutter-Kind-Dyade«, die Kindern den notwendigen Rückhalt gibt, die Welt zu erforschen, charmant zu sein, Glück zu haben und Freundschaften zu schließen.

»Florenz, Baptisterium.« So verortet Walter Benjamin einen Eintrag in seinem Aphorismenbuch »Einbahnstraße«. »Auf dem Portal die ›Spes‹ Andrea de Pisanos. Sie sitzt, und hilflos erhebt sie die Arme nach einer Frucht, die ihr unerreichbar bleibt. Dennoch ist sie geflügelt. Nichts ist wahrer.« In dieser Haltung (die nicht nur die Hoffnungsallegorie Andrea de Pisanos, sondern auch den theologischen und mentalitätsgeschichtlichen Subtext des frühen Radiohörens genau erfasst) zeigt Wilhelm Heise den Radiobastler. Und in der gleichen inneren Haltung, die aus den zwanziger Jahren auf mich gekommen war, arrangierte ich jetzt auf den Holz- und später Plastikgrundplatten des »Radiomann« und seiner sukzessive angeschafften Nachfolge- und Ergänzungskästen meine Detektoren, Widerstände, Transistoren, Röhren, Batterien und Spulen. Ich war allein in meinem Dachbodenreich, umgeben von psychischer Unangreifbarkeit. Aber verbunden trotzdem mit der ganzen Welt. In *splendid isolation* und versorgt zugleich mit universalem Zuspruch. Ich war nicht mehr abhängig von unserem Familienradiogerät, in dem meine Eltern sonntags Konzerte klassischer Musik oder populärwissenschaftliche Vorträge hörten und das nur nach dem Mittagessen zum Anhören einer Kindersendung für mich und meine Schwester freigegeben wurde. Meine Mutter und ihre Treulosigkeit konnte mir hier oben fast schon egal sein. Ein langer Draht, dessen Ende ich, beschwert mit einem Stein, in die Äste einer großen Blutbuche im Institutsgarten geworfen hatte, diente als Außenantenne.

Meine bastelnde Annäherung an die technische Moderne ermöglichte mir auf dem Iserlohner Dachboden, am Rand meiner Kindheit, das verlorene Gleichgewicht aus Autonomie und verschlingender mütterlicher Liebe unabhängig von meiner Mutter zu rekonstruieren und in mein späteres Leben hinüberzuretten – in einem Medium, das weit genug entfernt war von der Kunst (die mir durch ödipale Tabus vorerst verschlossen war). So wurde Radiobasteln zu einer Vorform meines lebenslangen Kunstanschauens, Musikhörens und Schreibens. Denn auch »die Kunst sieht seit der Romantik hier ihre Chance«. Und es ist kein Zufall, dass der erste Hit der Beatles mit dem Refrain »She loves you, yeah, yeah, yeah«, der die Welt damals für jeden und jede, die ihn einmal hörte, für immer verwandelt hat, damals dünn und geisterhaft aus dem Kopfhörer eines selbstgebastelten Transitorradios zu mir drang. Damit war 1963 nicht nur für mich, sondern für meine ganze Generation eine neue innere Selbständigkeit, ein bis heute folgenreicher seelischer Selbstgestaltungsraum eröffnet, dessen Weite, Fruchtbarkeit und kunsthistorische Bedeutung man vielleicht nur mit der Rolle vergleichen kann, die Literatur zur Zeit Goethes und Jean Pauls gespielt hat. In der Popmusik kam mein Radiobasteln zu sich selbst. Die Beatles sangen mir meine eigenen unklaren Seelenzustände vor. Und in ihren Auftritten wurde mein sogar vor mir selbst streng geheim gehaltenes Größenselbst öffentlich. Die Musik dieser aus dem Nichts plötzlich sehr berühmten jungen Männer erbaute und inspirierte mich im stillen Kämmerlein des Dachbodens, und zugleich wusste ich, dass ich gemeinsam mit vielen Gleichaltrigen und Gleichgesinnten über die *fab four* phantasierte, dass ich ihre Lieder in einem imaginären Chor sang und summte. So stellten sich in der Einsamkeit Gemeinsamkeit und Selbstbewusstsein her.

In meiner technologischen Abwendung von der Mutter war sie trotzdem anwesend. Nicht nur, weil die Popmusik, die mich gegen Ende meiner Radiobastlerphase in meiner selbstgewählten Isolation gefunden hatte, viel – fast alles – zu tun hatte mit bewusstem Gekleidetsein, mit spezifischen Frisuren, mit sorgfältig zu wählenden Accessoires (zu dessen wichtigstem dann in den Folgejahren ein gekauftes Kofferradio gehörte, dessen ausziehbare silberne Antenne viel leistungsfähiger war als der in die Blutbuche geworfene Draht). Und meine jetzt mit ihren eigenen beruflichen und familiären Angelegenheiten verzweifelt befasste Mutter war mir in meiner Dachbodeneinsamkeit auch nicht nur deswegen so nah, weil ich die zielgehemmte Erotik, von der die neue Musik lebte, schon kannte aus der ödipalen Gemeinschaft mit ihr. Ich hatte das Muttergefühl aus eigener Kraft um mich erschaffen. Dass ich damit auch in eine Falle gegangen war, würde mir erst sehr viel später aufgehen.

Mit der Popmusik beginnt also eine andere Geschichte, die dann immer wieder, jeweils eine Zeitlang, zu einer Art Erfüllung der unklaren Wünsche und Träume des jungen Radiobastlers geführt hat. Im Museum meiner Seele aber sitzt, seit damals und für immer, ein kleiner Junge, einen Kopfhörer am Ohr und die Hand am Drehkondensator eines Detektorradios, vor einer Fensterluke und schaut in

der beginnenden Dämmerung über einen Baum hinweg auf eine Stadtlandschaft. Dachbodengerümpel, Radio, Fenster und Baum bilden die Allegorie einer Hoffnung, die in seinem wirklichen Leben zu ergreifen er nicht in der Lage ist, deren Botschaften er jedoch mit Hilfe einer fünfzehn Meter langen Drahtantenne aus den Weiten des Universums herausfiltern zu können glaubt. Nichts ist, jedenfalls soweit es mich betrifft, wahrer.

The Ice Storm

»Im Heft 141 der ›Fantastischen Vier‹, Erscheinungsdatum November 1973« – es spricht aus dem *off* Paul Hood, der jugendliche Held in Ang Lees Films ›The Ice Storm‹, der am Tag nach Thanksgiving mit dem Vorortzug aus New York City nach New Canaan, Connecticut, zurückkehrt – »sieht sich Reed Richards dazu gezwungen, seine Antimaterie-Waffe gegen seinen eigenen Sohn zu richten, den ein Nihilist in eine menschliche Atombombe verwandelt hat. Dieses tragische Dilemma war typisch für die ›Fantastischen Vier‹. Denn sie waren nicht wie die anderen Superhelden. Eher eine Art Familie. Und je mehr Macht sie hatten, desto schlimmer konnten sie einander verletzen. Oft ohne es überhaupt zu bemerken. Das war die tiefere Bedeutung der ›Fantastischen Vier‹: Deine Familie ist deine ganz persönliche Antimaterie. Die Familie ist der Abgrund, aus dem du gekommen bist und der Ort, an den du im Tod zurückkehrst. Und das ist das Paradox. Je mehr es dich hineinzieht, desto tiefer geht es in den Abgrund hinein.« Noch während der innere Monolog des Siebzehnjährigen durch Bilder eines frühmorgendlichen amerikanischen Provinzbahnhofs überblendet wird, kommt der Regionalzug vor dem Prellbock zum Stehen. Pauls Vater, seine Mutter und seine kleine Schwester, die schon wissen, was Paul gleich erfahren wird (sein Freund Mickey Carver ist am frühen Morgen durch eine abgestürzte Hochspannungsleitung in demselben Eissturm tödlich verunglückt, der Pauls Zug die halbe Nacht irgendwo auf der Strecke zum Stehen gebracht hat), sind zum Gleis gekommen und schauen ihm ernst entgegen.

In den sechziger Jahren hätte man zwar so kritisch, nicht aber zugleich so emphatisch über die Familie philosophiert und phantasiert wie Paul Hood in den ersten Einstellungen von »The Ice Storm«. Während wir 1968 oder 1969 schon ganz genau zu wissen schienen, dass diese Institution in eine Krise geraten war, aus der sie nie mehr als dieselbe hervorgehen würde (eine Erkenntnis, die wir uns revolutionär erarbeitet und gleichsam am eigenen Leib erlitten zu haben glaubten), ging uns erst um 1973 herum auf, wie viel wir mit unserer Rebellion gegen die Familie zugleich verloren hatten. Wir begannen zu ahnen, dass es ohne so etwas wie die Familie vielleicht gar nicht weitergehen würde in unserem Leben. Wahrscheinlich, grübelten wir damals, würde es auf etwas Informierteres, Tieferes, Freieres, Klügeres hinauslaufen müssen, als es die Ehen unserer Eltern und Großeltern gewesen waren. Aber ganz ohne die Familie, das begriffen wir langsam und auf komplizierten Umwegen, würden auch wir nicht durchkommen. »The closer you're drawn back in, the deeper into the void you go.« Damals begann etwas, das heute noch andauert.

Mittwoch. Krach mit Mutti, die sich emanzipieren will. Es geht ihr schlimm, lautet ein nicht exakt datierter, mir heute in seinen Hintergründen und seinem konkreten Realitätsgehalt nicht mehr verständlicher Eintrag meines Tagebuchs vom November 1973, demselben Monat, in dem in Rick Moodys

Roman und Ang Lees Film das Comic-Heft der »Fantastic Four« erscheint, das Paul Hood zu seinen schlingernden Meditationen im Vorortzug am Morgen nach dem Eissturm inspiriert. Seit ich »The Ice Storm« zu Beginn des Jahrhunderts zum ersten Mal gesehen habe, erinnerten mich die Familien der Hoods und der Carvers, die modernistischen Bungalows, in denen sie herumleben, ihre Partys und gemeinsamen Mahlzeiten, der Winter in der amerikanischen Vorstadtlandschaft – vor allem aber die unterdrückte und tatsächlich wie in einem Eissturm eingefrorene Aggressivität, die Lethargie, Unsicherheit und Beklemmung, die in ihrem Leben die Herrschaft übernommen haben – mit fotorealistischer Genauigkeit an unser damaliges Familienleben.

Nicht etwa, weil unsere Eltern ihre Ehe gebrochen hätten, wie das im Film Pauls Vater und Mickeys Mutter tun. Im Gegenteil. Die Ehe meiner Eltern war ein seltenes Beispiel dafür, dass zwei Menschen ihre erotische Leidenschaft in eine lebenslange Freundschaft verwandelt haben, die beiden seelisch das Leben gerettet hat. Aber sie waren 1973 eher ein alterndes Liebespaar, als dass wir eine Familie gewesen wären. Die Ehe meiner Eltern war »partnerorientiert«; nicht (wie die meisten heute) auf die Kinder ausgerichtet. Und das traditionelle (vielleicht immer nur geträumte und erlogene, jedenfalls aber mehr als ein Jahrhundert lang allgemein akzeptierte) Modell eines liebevollen Zusammenlebens mehrerer Generationen auf engem Raum ist damals wie ein morsches Haus nicht nur über unserer Familie zusammengebrochen. Ich selbst war schon Jahre zuvor aus seinen bereits merklich schwankenden und bröckelnden Mauern geflohen. Angeregt vom evangelischen Gemeindepfarrer hatte ich mich für das »Landexamen« angemeldet und war vier Jahre lang, bis zum Abitur, stolzer Inhaber einer Freistelle auf dem »Evangelisch-Theologischen Seminar« der Württembergischen Landeskirche gewesen, einer Internatsschule, die seit der Reformation und bis heute das traditionelle kirchliche Bildungsbürgertum Schwabens hervorbringt. Im November 1973 hatte ich dann auch schon die Zivildienstzeit hinter mir, studierte in Stuttgart, hatte eine Freundin und schneite nur noch in den Ferien und zu Heimfahrtwochenenden herein ins Elternhaus, wo ich Gelegenheit bekam, die Trümmer der heimischen Seelenarchitektur aus innerer Distanz kopfschüttelnd und deprimiert zu besehen. Denn es stellte sich zu Beginn der siebziger Jahre heraus, dass es zwischen meiner Mutter und meiner Schwester irreparabel schiefzugehen begann.

Noch heute, beim Lesen der Rundbriefe meines Vaters und anderer Materialien dieser Zeit, bedrückt mich die zwischen den Zeilen lesbare Einsamkeit zweier Generationen in diesem Siebziger-Jahre-Haushalt und der hörbar beschwiegene Abgrund, der sich in unserem Zusammenleben aufgetan hatte. Die humorvollen Schnurren und atmosphärisch präzisen Miniaturen in den Rundbriefen meines Vaters verdecken das nur unzureichend. Wir wohnten in einem einstöckigen, bungalowartigen Haus am Hang unterm Waldrand. In einem weiten Tal vor unseren Fenstern breitete sich eine malerische schwäbische Kleinstadt aus. Auch Blaubeuren hatte damals noch halb mittelalterliche Züge. Das bäuerliche Umland war in den mittelalterlich engen Gassen immer präsent. Vor dem Schlachthaus am Stadtrand standen Kühe, die ahnten, was ihnen bevorstand, und brüllten vor Angst. Ihr Blut färbte an Schlachttagen den Stadtbach, dem in der nahe gelegenen Gerbergasse auch das milchige, stinkende

Abwasser der zur Straße hin offenen Werkstätten des Lederhandwerks zugeführt wurde, bevor es jenseits der noch ganz erhaltenen Stadtmauer die Gärten des gotischen Klosters bewässerte und düngte. Dann floss es in einen kleinen Fluss (die Blau), der im sogenannten Blautopf entsprang, einer trichterartigen, durch irgendeinen *trick of the light* vollkommen blauen Karstquelle. Am Rand der gewundenen Tallandschaft standen erratische Kalkfelsen. Auf einer Fußgängerbrücke, an der es geradeaus zum städtischen Freibad und zu unserem Haus weiterging, rechterhand aber zu der ehemaligen Fabrikantenvilla, die das Goethe-Institut beherbergte, saßen Angler und stellten den Forellen nach, die zwischen dicken, in der Strömung sanft bewegten Wasserpflanzenpolstern standen. Mit Kanus paddelten wir als Kinder hinunter bis zu den Wehren bei Gerhausen, dem wenige Kilometer entfernten Ulm zu.

Ein paar Jahre später hatte mir mein Esslinger Onkel dann schon seinen ausrangierten VW-Käfer geschenkt, der mich zwischen meiner Uracher Internatsschule und wenig später zwischen meinem Stuttgarter Universitätsleben und dem heimischen Blaubeuren mobil werden ließ. Ich fuhr mit meiner Freundin, einer langhaarig blonden Schwesternschülerin, die eine eindrucksvolle Sammlung von Miniröcken, selbstgehäkelten Tops und Plateausandalen besaß, bekifft auf der Schwäbischen Alb umher und abends nach Ulm in die Diskotheken. An verlängerten Wochenenden ging es, wenn sie keinen Dienst im Krankenhaus hatte, für mehrtägige Ausflüge an den Bodensee, zu Ausstellungen nach Zürich oder Basel und in den Semesterferien bis nach Italien. Die »Jugendkultur« hielt zu Beginn der siebziger Jahre Einzug in der kleinen Stadt. In einer der mittelalterlichen

Gassen machte, unterstützt von städtischen Zuschüssen, ein selbstverwaltetes »Jugendhaus« auf, wo man Bier trinken und Filme anschauen konnte, wo »Antiimperialismus-AGs« oder »Umweltarbeitskreise« tagten und wo bei gewissen, den zahlreichen Eingeweihten gut bekannten Spezialisten unter der Hand Haschisch zu bekommen war. Die erste Pizzeria machte auf und war etwas ganz Neues. In den beiden Kinos der Stadt sah ich »High Noon«, Bergmans »Das Schweigen«, die deutschen Karl-May-Filme oder die Edgar-Wallace-Serie, später dann aber auch Antonionis »Blow-up«, Eisensteins »Potemkin« und die Gangsterfilme Jean-Pierre Melvilles. Das Blaubeurer »Zimmertheater« zeigte Handkes »Publikumsbeschimpfung« und Sartres »Geschlossene Gesellschaft«.

Mein Vater, der während der »Fresswelle« der späten fünfziger Jahre, wie die deutschen Männer überhaupt, ziemlich dick geworden war, machte mit einer Hungerkur und abendelangen Waldläufen eine kulturgeschichtlich verfrühte Fitness-Phase durch und sah seither ein bisschen aus wie der persische Schah Reza Pahlevi. Nach dem Tod meines Esslinger Großvaters legten meine Eltern das Erbe in Grundstücken und Biedermeier-Möbeln an. Es war überhaupt plötzlich Geld da. Meine Mutter gab die »Buchführung« im Goethe-Institut auf, bräunte und trainierte sich in den heißen Sommern im nahe gelegenen Schwimmbad, töpferte viel im Atelier einer befreundeten Fabrikantengattin und nahm ihre Rolle als Gastgeberin der Hautevolee unserer schwäbischen Kleinstadt sehr ernst. Der Bungalow am Hang verwandelte sich in eine fast großbürgerliche Honoratiorenadresse. Unsere Blaubeurer Siebziger-Jahre-Idylle und die Filmbilder aus New Canaan überblenden sich in meiner Erinnerung auch deshalb bis zur Ununterscheidbarkeit, weil damals eine amerikanische Cousine im Alter meiner Schwester für ein halbes Jahr aus Long Island zu uns nach Schwaben gekommen war, in unserem Gästezimmer wohnte, jeden freien Moment mit meiner Schwester zusammensteckte, im Goethe-Institut Kurse belegt hatte und dem Willen meiner amerikanischen Tante zufolge ihre möglicherweise vorhandenen Wurzeln in der deutschen Sprache, Denkweise und Kultur ein bisschen entdecken sollte. Sie brachte Bücher von Richard Brautigan mit und Platten der Allman Brothers. Sie erzählte von ihrer Zeit als Schüler-Wahlhelferin für den demokratischen Präsidentschaftskandidaten George McGovern und über die Impeachment-Prozeduren, die gegen Richard Nixon in Gang gesetzt worden waren. Rick Moody und Ang Lee haben die jungen amerikanischen Frauen der Zeit um 1973 in der Figur der Wendy Hood sehr treffend porträtiert.

Wie alle Idyllen verdeckte unsere schwäbische Siebziger-Jahre-Beschaulichkeit eine stillgelegte Katastrophe. In Wirklichkeit lebten meine Eltern einerseits und andererseits meine Schwester, meine Cousine und ich im Blaubeuren des Jahres 1973 – ganz wie das Personal in »The Ice Storm« – längst in zwei vollkommen verschiedenen Ländern oder Universen. Wohl nie zuvor und nie mehr danach in der Geschichte westlicher Gesellschaften waren generationskulturbedingte Innerlichkeiten so wenig miteinander vereinbar wie zu Beginn der siebziger Jahre. Nicht zufällig kam damals ein militärisch und in allem blutigen Ernst ausgefochtener Guerillakrieg junger Menschen gegen das »Establishment« in Gang, der vier Jahre später als »Deutscher Herbst« in einer bundesrepublikanischen Staatskrise gipfeln würde. Schon die Kinder meiner Cousinen waren ihren Eltern nur einige

Jahre später kulturell und emotional dann wieder viel näher. In unserem Blaubeurer Goetheinstitutsleiterhaushalt der siebziger Jahre aber ergab sich eine brenzlige Generationenschnittstelle.

Die emotionale Konstellation war eine Spätfolge von Jahrhundertunglücken. Auf der einen Seite des psychohistorischen Grand Canyons standen zwei Menschen, die in der Hitlerzeit großgeworden und im Krieg auf ihre jeweils eigene (und beidesmal sehr schlimme und prägende) Weise beschädigt worden waren. Auf der anderen Seite lebten zwei »Kinder von Marx und Coca-Cola«, wie Jean-Luc Godard unsere eigenartige Luxusverwahrlosung auf den Begriff gebracht hat. Der psychohistorische Abstand zwischen Erwachsenen und Teenagern war damals nicht nur im New Canaan von Ang Lees Film, sondern auch in Blaubeuren so groß geworden, dass es so gut wie keine gemeinsamen Erfahrungsräume mehr gab. Zwei unvereinbare generationenspezifische Wirklichkeitsdeutungen verkeilten sich gegeneinander – trotz aller Gutwilligkeit, gelegentlichen Gesprächsbereitschaft und Bemühung. Nie war die Familie deutlicher erkennbar als »deine ganz persönliche Antimaterie« als um 1970 herum.

Unsere Eltern waren die Stärkeren. Nicht nur, weil sie sich liebten, sondern auch deshalb, weil sie eine schon abgeschlossene, gemeinsam bewältigte Generationserfahrung teilten. Während meine Schwester und ich nicht nur, wie das alle jungen Leute müssen, am Rand der großen Ebene »Erwachsensein« unseren Platz auf der Welt suchten, sondern das in einer Zeit tun mussten, die, wie man sagt, aus den Fugen und auf eine lange, gefährliche – und bei aller Aufbruchstimmung auch qualvolle – Suche nach einem neuen

Gleichgewicht gegangen war. Wie die Straßen, Gärten, Gleise und Vorgärten von New Canaan in jener Novembernacht, waren 1973 auch in unserer schwäbischen Kleinstadt alle gesellschaftlichen Lebensgründe überzogen mit einer spiegelglatten, gefährlich knisternden Eisschicht. Die Vergangenheit wurde lebendig. Manche von uns sind damals verlorengegangen. Und fast keiner und keine ist ohne Brüche und Narben davongekommen.

Mit sechzehn war meine Schwester kein Kind mehr. Sondern eine sehr attraktive junge Dame. *Neulich war ich beim Buchhändler*, schreibt mein Vater in seinem Weihnachtsrundbrief 1968 an Freunde und Familie, *da kam jemand in hohen Stiefeln, schickem Mantel und blauer Kappe, und ich dachte, wer denn jetzt schon wieder frech und eitel –: da wars meine Tochter. Friseursorgen, Kleidertrara, maßlos aufsässig und im Rechnen (»Mathematik« nennen die das!) einfach bodenlos, ein Gram der Mut-*

ter, dem Vater auch, aber der war immer voreingenommen für das Äffchen. Damals wurde normal, was in unserem Jahrhundert eine ausgedehnte und selbstbewusste Kultur insbesondere weiblicher Jugendlichkeit hervorgebracht hat (»Deutschland sucht den Superstar«, Miley Cyrus und so weiter). Die anthropologische Konstante, dass sechzehnjährige Mädchen sich für nichts so brennend interessieren wie für ihr Äußeres und dass ihre Selbstfindung sich (*Papa, don't preach*) vor allem gegen die Eltern richtet, wurde kulturgeschichtlich relevant und produktiv. Aber mein Vater konnte, während in Berlin, Frankfurt und Paris schon die Barrikaden brannten und die Vietnam-Kongresse tagten, diese psychosoziale Gegebenheit der modernen Welt, die uns inzwischen als das Normale vorkommt, nicht anders verarbeiten als in den zwar nur ironisch ruppigen, im Grunde aber wirklich verständnis- und empathielosen Sätzen seines Familienrundbriefs. An den aufgeladensten Stellen der Passage treten Lebensangst und eine Art Wut an die Oberfläche (*frech, eitel, Äffchen, Trara*). Hätte er seinen Brief in der Zukunft, 2014 zum Beispiel, geschrieben, hätte er sich mit der ganzen Großfamilie darüber freuen und stolz darauf sein können, dass seine Tochter gut aussieht. Er könnte ihr in der Buchhandlung, wo sie sich zufällig getroffen haben, ein Buch kaufen, das sie interessiert. Und könnte dann vielleicht irgendwo einen Kaffee mit ihr trinken gehen, bevor sie wieder zurückkehren würden in ihre kulturell zwar unterschiedlichen, im Grunde aber miteinander verbündeten Generationen. Aber 1968 stand hinter den Sätzen meines Vaters eine durch Selbstironie nur unzureichend kaschierte Angstwut. Sie trat jetzt überall in Deutschland an die Oberfläche. Worauf waren meine Eltern damals wütend? Wovor hatten meine Eltern damals Angst?

Ich kann mich an den *schicken Mantel* meiner Schwester übrigens noch gut erinnern. Es war ein beiger Trenchcoat mit militärisch anmutenden Schulterklappen und einem Humphrey-Bogart-Gürtel, den sie – *noblesse oblige* – nicht mit der dafür vorgesehenen Schnalle verschloss, sondern um ihre Taille locker zusammenzuknoten pflegte. An einem Samstagmorgen irgendwann in den frühen siebziger Jahren tauchte sie, zurechtgemacht für ein Rendezvous, aus ihrem Zimmer auf, um in eine Eisdiele zu stöckeln, ausgestattet mit einem sehr professionellen, vielleicht eine Spur übertriebenen grauschwarzen Augen-Make-up, in jenem Trenchcoat und einem Minirock. Ihre sehr langen Beine waren optisch überhöht durch eine transparente schwarze Strumpfhose. Die sieht ja phantastisch aus, dachte ich noch, als sie mir zuwinkte, die Haustür hinter sich zuwarf und durch den Garten verschwand. Am Wohnzimmerfenster diskutierte derweil, wie ich beim Hinübergehen feststellen musste, meine vor Bekümmernis und Wut fast schon weinende Mutter mit meinem Vater über die Frage, ob er ihr im Auto hinterherfahren und geltend machen solle, »dass man so nicht aus dem Haus gehen kann«. Wenn ich mich recht erinnere, kam es dazu dann doch nicht. Aber der nun folgende Nachmittag zu Hause verlief in niedergeschlagener und gereizter Stimmung, und ich werde meinerseits froh gewesen sein, mich – in welcher Aufmachung, möchte ich gar nicht wissen, aber das war meinen Eltern egal, ich war ein Junge – bald ebenfalls irgendwohin verdrücken zu können. Zu Freunden vielleicht, ins »Jugendhaus«, mit meiner Freundin ins Kino, zum Pizzaessen oder später in eine Kneipe oder Disko, wo ich meine Schwester dann irgendwo, auf neutralem Grund, getroffen haben werde. Und ihr wahrscheinlich ein Kompliment für das meiner Ansicht nach wirklich gelungene Outfit gemacht habe.

Ich verstand meine Mutter nicht. Sie kam mir noch verrückter vor als Erwachsene sowieso schon. Zwar vertrat ich die Ansicht, meine Schwester sollte sie in den Auseinandersetzungen, die jetzt eine so gut wie tägliche Familienplage geworden waren, irgendwie schonen. Aber in meinen Kompromissplädoyers kam erstens eine Feigheit zum Ausdruck, die meiner Schwester (sie kämpfte ja tatsächlich um ihre Freiheit) nicht gerecht wurde; und zweitens drückten meine Beschwichtigungsversuche nur aus, dass ich meine Mutter schon längst nicht mehr ernst nehmen konnte. Wenn ich heute, in meiner so ganz anderen Zeit, über die damaligen Kräche zwischen Mutter und Tochter nachdenke, will mir scheinen, dass ein monumentaler, durch Anstandsbesorgnis (»Komm mir bloß nicht mit diesem Jüngling ins Haus«; »Werd mir um Gottes willen nicht schwanger«; »Du musst Punkt 11 zu Hause sein«) bloß konventionell kostümierter *Neid* die Ursache für die damals fast alltäglich gewordenen Wutangst-Entgleisungen meiner Mutter gewesen ist. Und dass ihre Wut, ihre Angst und ihr Neid einen weiten Weg zurückgelegt hatten, bis sie in den Jahren nach 1968 in unserem Familienleben ankamen.

Bevor der Feminismus, die erfolgreichste Befreiungsbewegung des zwanzigsten Jahrhunderts, im Gender-Theoretisieren zerflattert ist, hatte sich das Nachdenken über die Befreiung von Frauen auf deren politische und ökonomische Gleichstellung konzentriert und die ästhetische Seite der Emanzipationsbewegung meist übersehen. Dabei ist die Revolution der Vorstellungen darüber, wie Frauen auszusehen und sich anzuziehen haben, in ihrem Befreiungsprozess mindestens ebenso wichtig gewesen wie die Veränderung ihrer ökonomischen und rechtlichen Stellung. Meine Mutter hatte früher einmal – im Lettehaus; in ihrer Stuttgarter Werbeagentur; überhaupt durch ihre Mitarbeit am modischen *reset* der Republik nach dem Krieg – zu den Pionierinnen der ästhetischen Frauenbefreiung gehört. Sie hatte mit dem »Zeichnen« ganz ähnlicher Ensembles und Make-ups wie dem, mit dem meine Schwester an jenem Samstagmorgen (»Sie sieht ja wie eine Nutte aus«) aus dem Haus ging, lange ihr Geld verdient. Sie hatte ihre eigene Eleganz mühsam gegen ihren Nazivater verteidigt. Und musste jetzt erleben, dass sich ihre Tochter all diese ästhetischen Freiheiten – dem Zeitgeist entsprechend *aufgesteilt* – einfach nahm und sie weiterentwickelte, ohne lang zu fragen oder überhaupt nur ein Problem darin zu sehen.

Meine Mutter hatte zu Beginn der sechziger Jahre darauf verzichtet, für die Kunst und die Mode zu leben, und auch in ihrer eigenen modischen Selbstdarstellung war sie seit Beginn der Siebziger eingerückt in eine provinzielle Goetheinstitutsleitersgattinnenwohlanständigkeit und *middle-age*-Verspießerung. Ihr um der Liebe willen lang und stumm ertragenes Unglück nahm jetzt Rache an ihrer Tochter. Meine Mutter begann sich querzustellen gegen die *lifestyle*-Modernisierung der sechziger und siebziger Jahre. Sie verwandelte sich, noch einmal, zeitweilig in ihren Vater. Auch Erinnerungen an die vergangene erotische Rivalität mit ihrer älteren Schwester (*In der Zeit wurde M. plötzlich hübsch*) scheinen mit hineingespielt zu haben. Als wollte sie, nachdem sie als junge Frau so viel eingesteckt hatte, jetzt auch einmal austeilen. *They fuck you up, your mom and dad.* Die ästhetische Befreiung der Frau, die einmal ihren Stolz, ihre

Einkommensquelle und ihre Selbständigkeit ausgemacht hatte, überschwemmte sie als gesellschaftliche Realität in demselben Moment, in dem sie selbst sich von den Freiheitsversprechen der zwanziger Jahre verabschiedet hatte. Es war ein tragischer Moment des Überholtwerdens von den eigenen Jugendträumen. Sie muss damals das Gefühl gehabt haben, über Nacht alt geworden zu sein.

Und meine Schwester begnügte sich durchaus nicht damit, sich nur die *modischen* Freiheiten zu nehmen, die bereits die Generation meiner Mutter erobert hatte. Ihr ging es nicht mehr nur um ästhetische Bilder der Frauenfreiheit, sondern längst schon um die Sache selbst. Sie hatte *boyfriends* (die meiner Mutter nicht passten). Sie knutschte mit ihnen herum (»Wenn dich dabei jemand sieht! Weißt du nicht, in welches Licht du uns damit bringst?«). Sie rauchte Zigaretten und trank Bier (»Das ist doch völlig unmöglich für ein junges Mädchen!«). Sie kam spät nach Hause. Sie zog an Joints, die am Kneipentisch die Runde machten. Sie war ein völlig normales Kind ihrer Zeit. Zwar hatte sie sich das alles von ihrem bewunderten großen Bruder abgeguckt; aber das hätten meine Eltern nicht gelten lassen (für junge Männer gab es andere Regeln). Manchmal, in Briefen, die mein Vater aufbewahrt hat, raffte die junge Rebellin sich noch dazu auf, zu argumentieren, und wenn sie argumentierte, dann, wie man sagen muss, mit Bravour.

Was Mutti heute wieder von sich gegeben hat, war für mich echt der Abschuss. Ich kann das einfach nicht begreifen, wie Du Deine Urteile fällst – mit welcher Voreingenommenheit und – Entschuldigung: Weltfremdheit. Ich will hier niemanden verletzen oder so. Ich sag nur, wie Ihr, was ich denke. Mutti findet D. und N. »ordinär«. Was ich dazu nur sagen kann: D. könnte man jederzeit, so wie sie ist, auf der Titelseite von »Brigitte« bringen. Sie ist eine richtige Modepuppe und arbeitet ja auch in einem Modegeschäft. N. halte ich auch für echt gutaussehend – außerdem sieht er Stephan ähnlich. D. und N. sehen echt gut aus, beneidenswert gut. So verschieden sind unsere Meinungen also. Wenn wir gerade bei D. und N. sind: Wenn ich Dir erzähle, daß D. zum Arbeiten geht und N. den Haushalt führt, dann findest Du das unmöglich und bezeichnend für diese schlechte Gesellschaft. Ich würde das, glaub ich, auch nicht machen, wäre ich an D.s Stelle, aber ich finde das echt Klasse, was die beiden da in V. auf die Beine gestellt haben und übernachte auch öfters und sehr gerne bei ihnen. Die Wohnung ist mein Zukunftstraum –

wie aus »Schöner Wohnen«. Ihr könnt diese Leute nicht akzeptieren, weil sie anders sind, andere Moralvorstellungen haben als Ihr. Und deshalb erzähle ich Euch auch so wenig von mir – weil ich eben auch andre Moralvorstellungen habe.

Ich möchte eben solche und solche Leute kennen. Ich sage nicht: »Hey, das ist ja ein Hippie, ein Tagedieb, ein Zigeuner – unmoralisch. Der war schon im Gefängnis, mit dem will ich keinen Kontakt.« Solche Leute sind nämlich die interessanten – weil sie anders sind. Aber das wißt Ihr ja gar nicht, weil Ihr eh schon im Vornherein 99 % der Menschheit ablehnt. Das ist kein Vorwurf. Ich bin gerade dabei, mich Euch klarzumachen. Daß Ihr P. ablehnt, ist mir schon sehr verständlich. Aber hört mal: wenn Ihr jemanden nicht leiden könnt, auch wenn es berechtigt ist, brauche ich ihn doch nicht auch abzulehnen. Und wieder: Ihr traut mir überhaupt nichts zu. Nur Ihr habt die richtige Urteilskraft – ich aber lasse mich von allen Seiten schlecht beeinflussen. So denkt Ihr – und habt Ihr schon mal darüber nachgedacht, daß mich solch eine Einstellung verletzen könnte?

Also, ganz objektiv, gell: Das kommt wohl von der Familienstruktur. Die Elternliebe ist automatisch mit Besitzen verbunden. Man hat das Kind ja im Sinne des Wortes gemacht, es gehört einem. Aber je älter das Kind wird, desto mehr will es nicht den Eltern, sondern sich selber gehören. Das Kind emanzipiert sich, und die Eltern sind fassungslos und verwechseln das mit Lieblosigkeit oder gar Grausamkeit. Und jetzt beginnt der Konflikt: Die Eltern können das verstandesmäßig schon begreifen, emotional aber nicht, und die Reibereien beginnen. Das Kind wird frech und aufsässig. Und wenn alles schlecht geht, entfremdet man sich mehr und mehr. Man sollte aber Toleranz, viel Toleranz aufbringen, und wiederum müssen die Eltern eben mehr opfern. Sie müssen ja nicht weiter, sondern das Kind. Sie müssen das Kind freigeben. Und je mehr sie das verhindern wollen, umso beschissener wird es, weil das Kind umso renitenter wird – gezwungenermaßen. Und das ist sicher ein schmerzhafter Prozeß.

Das Kind muß also seinen eigenen Weg jetzt gehen. Die Eltern mit ihrer viel größeren Erfahrung müssen zusehen. Sie müssen oft sehen, daß das Kind etwas tut, das sie beschissen, unverantwortlich etc. finden. Sollen sie eingreifen? Was würde es nützen? Es muß das Kind doch seinen eigenen Weg durchkämpfen, muß doch Scheiße bauen, um zu lernen, um Erfahrungen zu sammeln. Erfahrungen kann man nicht übermitteln. Unerbetene gute Ratschläge sind sinnlos. Das Kind braucht sicher noch den elterlichen Rat und die Hilfe, aber man soll sie ihm nicht aufdrängen.

Hey, logisch – gibt es etwas Dümmeres, in solcher Situation, als zu sagen: gut, wenn du nicht hören willst, dann mach doch, was du willst, dann lassen wir dich in Ruhe – laß uns dann aber auch und erwarte nicht, daß wir dir Hilfe geben, wenn du sie willst. So tun das viele Eltern, nicht wahr, und das ist dumm.

Jetzt habe ich schon so viel geschrieben, daß ich ganz durcheinander bin.

Was ich sagen wollte:

Laßt mich mein Leben führen. Ich liebe Euch, wie ein Kind seine Eltern nur lieben kann, auch wenn's nicht so rauskommt, wie Ihr's gerne wolltet. Ich liebe Euch. Und wollen wir doch unsere Liebe nicht durch diesen ewigen Streit undsoweiter nicht verringern lassen.

LOVE, L.

Wenn meine Eltern damals vor stellvertretender Lebensangst noch genau hätten lesen können – sie hätten sich um diese selbstbewusste und kluge junge Frau keine wirklichen Sorgen gemacht. Ich jedenfalls war beim Lesen, mehr als vierzig Jahre nach unserer gemeinsamen Blaubeurer Zeit, stolz auf sie – und in einer schwer zu beschreibenden Weise auch ein bisschen neidisch auf ihre geradlinige Haltung und innere Selbständigkeit. Meine Schwester stand dann auch durchaus zu ihren Vorlieben, Freunden, Fehlern und Entscheidungen und würde in den folgenden Jahren, nach ein paar weiteren zeitbedingten Suchbewegungen, zu einer Normalität finden, die ihren Bedürfnissen und ihrem Charakter bis heute entspricht. Ihr standen – zu ihrem Glück vielleicht – nicht die Auswege in jene radiobastlerischen, künstlerischen und intellektuellen Metabereiche offen, die mir selbst dazu dienten, der wirklichen Auseinandersetzung mit meinen Eltern aus dem Weg zu gehen, vorschnell und kampflos Gemeinsamkeiten mit ihnen zu finden und ihre Anerkennung zu gewinnen. Sie musste tatsächlich kämpfen, und sie *kämpfte sich durch* – mit den zitierten Argumenten, mit unangekündigten Fernreisen, stürmischen Liebschaften, abgebrochenen Ausbildungen, Schrei-Duellen. Ein paar Jahre später hatte sie ihre Selbständigkeit gewonnen. Aber der Hass, der sich in den Auseinandersetzungen zwischen meiner Mutter und meiner Schwester ansammelte, zerstörte Kinderliebe und Mutterliebe. Der alte, böse, giftige Familienkrieg zwischen meinem Großvater und meiner Mutter erhob sich zombiehaft aus dem Grab des Vergessens. Bis zu unserer Familienbekanntschaft mit dem Tod ist er, wie mir scheint, nie wieder ganz zur Ruhe gekommen zwischen den beiden. Es war oft etwas Schlimmeres zwischen meiner Mutter und meiner Schwester als das in allen Familien mit achtzehnjährigen Töchtern gelegentlich ausbrechende

Schreien und Türenknallen. Etwas nachhaltig Zerstörerisches. Etwas aus der Geschichte des Jahrhunderts Kommendes. Und das Leben meiner Schwester ist ein paar Jahre lang wohl tatsächlich in Gefahr gewesen, mit nicht mehr gutzumachenden Folgen aus dem Tritt zu geraten. Mein Vater, der damals schon in der Münchner Zentrale des Goethe-Instituts als Abteilungsleiter arbeitete und nur zu den Wochenenden nach Hause kam, gab sich Mühe, mit einer Mischung aus halbherziger Strenge und ironisch gefärbter Einfühlung den emotionalen Faden nicht abreißen zu lassen, was auch leidlich gelang. Ich selbst hatte andere Probleme, nahm andere Lebenschancen wahr, machte andere Fehler und hielt mich heraus – ein frühes Versagen, denke ich inzwischen manchmal.

Krach mit Mutti, die sich emanzipieren will. Aber meine Mutter hat die Befreiungschancen, die die frühen siebziger Jahre auch für ältere Frauen bereithielten, nicht ergreifen können. Auch deshalb nicht, weil sie von ihrer Angst vor der Emanzipation ihrer Tochter nicht loskam. Sie starrte gleichsam mit aufgerissenen Augen auf die Freiheitskämpfe, in die junge Frauen sich damals verwickelten. Dass man seine Gefühle ernst nimmt und nach »Authentizität« verlangt, hätte sie aus dem Leben der Künstler kennen und verstehen können, von wo aus diese Sprachspiele zu Beginn der siebziger Jahre in die gesellschaftliche Normalität eindrangen und schließlich in den Briefen und Selbstrechtfertigungen meiner Schwester auftauchten. Aber meine Mutter hatte schon zu Beginn der sechziger Jahre die Kunstsphäre für sich selbst nicht verbindlich machen können und seit sie ihre Kunst aufgegeben hatte, kaum mehr ein eigenes Leben gehabt.

Sie war viel krank damals, manchmal auch im Spital. Ich

erinnere mich, dass ich sie dort einmal besuchte. Es war nach irgendeiner Operation. Eine Ausgabe der »Vogue« lag auf ihrem weißen Krankenhausnachttisch. Ich betrachtete das Augen-Make-up des Models in den Pfauenfederfarben der frühen siebziger Jahre auf dem Cover der Zeitschrift, sah auf meine graue, bekümmerte, genervte und kranke Mutter und hing unklaren Gefühlen und Gedanken darüber nach, wie schrecklich es war, dass sie alt wurde und ihre Zeit nicht mehr verstand. »Faline ging langsam, als wenn sie müde wäre oder traurig. Sie glich jetzt ihrer Mutter, sah aus wie Tante Ena, und Bambi bemerkte das mit einem wunderlich quälenden Staunen.« In dieser Zeit verfestigte sich endgültig mein – sogar vor mir selbst lang geheim gehaltenes – Wissen, dass ich in einer traditionellen Familie nie würde leben können. Und spätestens seit damals habe ich zeitlebens hinter jeder wirklichen Frau die Bilder des Ideals gesehen, das meine Mutter einmal für mich gewesen war und das ich jetzt weder in ihr noch in irgendeiner anderen Frau mehr auf Dauer sehen konnte. So dass ich jede wirkliche Frau irgendwann verlassen musste und allein sein würde. »›Ich muss allein sein‹, entgegnete er. Doch so schonend er es hatte sagen wollen, es klang hart. Er hörte es selbst.«

Ich schaue mir, zum wievielten Mal, Ang Lees »The Ice Storm« an. Mickey Carver verlässt mitten im nächtlichen Sturm das Haus. Er hat einen signalorangeroten Kapuzenanorak an und bestaunt mit seinen bekifft aufgerissenen Dichteraugen die nächtlich ausgestorbene und durch den Eissturm klirrend, knisternd, klingelnd verwandelte amerikanische Vorstadt, wo jetzt jeder Schritt buchstäblich so gefährlich geworden ist, wie die Welt für junge Leute 1973 im übertragenen Sinne war. Er sitzt auf einer metallenen Leitplanke und beobachtet fasziniert – geradezu begeistert –, wie eine oberirdische Hochspannungsleitung unter der Eislast zusammenbricht. Das Kabel reißt. Sein geladenes Ende tanzt, als sei es lebendig geworden, als funkensprühende Schlange durch die Luft. Dann sehen wir Mickey von hinten.

Das Ende der Elektroleitung muss die stählerne Leitplanke berührt haben, denn er fällt plötzlich stumm vornüber. Auf der spiegelglatten abschüssigen Straße rutscht er, stocksteif und mit dem Gesicht nach unten, ein paar Meter über den Asphalt. Die Kapuze verhüllt seinen leblosen Kopf. Mickey ist nur noch ein großer signalorangeroter Sack oder Riesenwurm, und einen Moment lang sehe ich in ihm eine zu unser aller Glück nie in die Wirklichkeit getretene Version meiner Schwester.

Märchen (Das Recht, ein anderer zu werden)

Ihre wichtigen Mitteilungen hat mir meine Mutter zeitlebens in Form literarischer Kassiber zukommen lassen. *Für Stephel von Mutti Juli 1977 vor Athen* lautet die Widmung in ihrer Ausgabe der Grimm'schen Kinder- und Hausmärchen, die sie mir vor der Versetzung meines Vaters nach Griechenland (ich war fünfundzwanzig) zum Abschied schenkte. Auf das dieser Widmung gegenüberliegende Vorsatzblatt schrieb sie, mit einer leicht veränderten Zeichensetzung, die den mantischen Duktus des Originalzitats gleichsam zum Schweben bringt, ein paar Zeilen, die mich sehr berührten und, wie ich halb begriff, mich anzugehen schienen. Ich wusste damals nicht und habe mich jahrzehntelang auch nicht darum gekümmert, von wem diese Sätze waren und aus welchem literarischen Zusammenhang sie stammten. Jetzt brauchte ich nur die ersten Wörter bei Google einzugeben, um herauszubekommen, dass dieser jambische Orakelspruch aus Goethes dramatischem Spätwerk »Die natürliche Tochter« stammt: *Das Ewig-Wirkende bewegt uns. Unbegreiflich. Dieses oder Jenes. Als wie von ungefähr – zu unserem Wohl, zum Rate, zur Entscheidung, zum Vollbringen, und wie getragen werden wir zum Ziel.*

Kurz bevor der frühe Traum vom Auslandsleben spät,

mehr als zwanzig Jahre nach dem gescheiterten ersten Anlauf, für meine Eltern doch noch wahr wurde – wodurch sie in vieler Hinsicht die Erfüllung ihres Lebens und die schönste (weil kinderlose) Zeit ihrer Ehe erleben sollten –, knüpfte meine Mutter in einer rührenden und autobiographisch kühnen Weise an eins der wichtigsten Rituale unseres frühen gemeinsamen Lebens an. Die Stuttgarter Kindheitssamstagnachmittage, an denen sie mir in unserem Wohnzimmer aus Grimms Märchen vorlas, gehören zu meinen intensivsten Zweisamkeitserinnerungen. Das langsame Vorrücken der Zeit. Die Stille in dem kleinen Haus am Killesberg, wo es jetzt nur noch ihre Stimme gab. Die auf beruhigende Weise jedesmal wieder gleichen Geschichten, an denen kein Wort verändert werden durfte und die meine Phantasie lang noch beschäftigten, nachdem das Buch wieder zugeklappt war. In den fünfziger Jahren war das Märchen-Vorlesen noch ein Echo der Lebensreform, der zwanziger Jahre, in letzter Instanz eigentlich der deutschen Romantik gewesen. 1977 folgte das Abschiedsgeschenk meiner Mutter einem anderen Trend der Zeit. Ein Jahr bevor sie mir unsere alte Grimm-Ausgabe schenkte, war »Kinder brauchen Märchen« erschienen, die deutsche Übersetzung von Bruno Bettelheims »The Uses of Enchantment: The Meaning and Importance of Fairy Tales«. Das Buch wurde schnell zu einer Pflichtlektüre progressiver Kreise, und ich habe es später auch in der Bibliothek meiner Mutter gesehen. Alle Welt las, zitierte, kaufte Märchen. Mit dem Märchen-Boom der späten siebziger Jahre kam eine Art Re-Mythisierung des gesellschaftlichen Phantasierens, der Früherziehung, des allgemeinen Geredes und der psychologischen Ratgeberliteratur in Gang. Märchen erzählen von Wunscherfüllungen, Wundern, Verwandlungen, unerwarteten Wendungen des Schicksals. Das Interesse für diese Literaturform in den letzten Jahren der Siebziger-Dekade hatte etwas zu tun mit dem Erwachen gesellschaftlicher Phantasie und Initiative im Gefolge der »Neuen Sozialen Bewegungen«, mit der Kunst- und Lifestylerevolution des folgenden Jahrzehnts.

Goethes Drama »Die natürliche Tochter«, aus dem meine Mutter zitierte (wenn auch mit Varianten, die im Prozess mehrmaligen Abschreibens entstanden zu sein scheinen), ist selber ein Märchen. Freilich ein bürgerlich-realistisches. Es spielt in einem klassizistischen Phantasiekönigreich, das einem beim Lesen die gemalten Meere, Sonnenaufgänge, Häfen, Landschaften und Palastarchitekturen Nicolas Poussins vor das innere Bildgedächtnis ruft. Im Meer vor der Hauptstadt sind »die Inseln« gelegen, wo giftige Sümpfe drohen, Schlangen und Tiger sich »tückisch drängen«. Dorthin soll, auf Geheiß des eifersüchtigen und machtgierigen Prinzen, die uneheliche Tochter des Herzogs verbannt werden, die kurz davor steht, durch den König die höfische Rehabilitation und – ihrer illegitimen Geburt zum Trotz – ihre Inthronisierung zu erleben. Ihr herzoglicher Vater und der König aber sollen glauben, die unerklärlich Verschwundene sei tot. Der Märchenretter und -trickster ist der bürgerliche und edelgesinnte Gerichtsrat, der die »natürliche Tochter« heiratet, wodurch sie zwar nicht am Hof reüssiert (sie muss dem Thron ebenso entsagen, wie ihr künftiger Ehemann dem Vollzug der Ehe entsagen wird), aber dafür vor den Inseln gerettet ist. Das Zitat meiner Mutter stammt aus dem Dialog der »natürlichen Tochter« mit einem Mönch. Er berät die Heldin und führt ihr das »Walten« unbegreifbarer Daseinsmächte vor Augen, in denen man, vielleicht, Goethes Privatmythologie des »Dämonischen« und jedenfalls die alte platonische Vorstellung einer »Weltseele« wiedererkennen kann. »Was droben sich in ungemeinen Räumen gewaltig seltsam hin und her bewegt, belebt und tötet ohne Rat und Urteil, das wird nach anderm Maß, nach andrer Zahl vielleicht berechnet, bleibt uns rätselhaft«, sagt der Mönch.

Diesen über- und unmenschlichen Kosmoskräften tritt eine Art heroischer Bürgerlichkeit entgegen, die zwar nicht versteht (und gar nicht verstehen will), wie es im Universum in Wirklichkeit zugeht, dafür aber mit resignierter Tapferkeit und Lebenskunst auf einen glücklichen Ausgang setzt. »Nichts ist beständig«, sagt der Gerichtsrat. »Manches Missverhältnis löst unbemerkt, indem die Tage rollen, durch Stufenschritte sich in Harmonie.« Das Tragische muss nicht sein. Wir müssen die Heldenrolle nicht auf uns nehmen. Den Ausweg aus dem unlösbaren Dilemma bietet »des Bürgers hoher Sicherstand«. »Hier meine Hand: wir gehen zum Altar«, lautet die letzte Zeile des Dramas, das eine tragisch endende Fortsetzung erhalten sollte, die nie geschrieben worden ist.

Ich glaube freilich nicht, dass meine Mutter Goethes »Natürliche Tochter« irgendwann wirklich ganz gelesen hat. Das Zitat stammt aus einer – vorzugsweise weiblichen – literarischen Praxis, die im neunzehnten Jahrhundert begann, dann in die Subkultur der Poesiealben abgewandert ist und neuerdings wiederauferstanden zu sein scheint, wenn man die literarischen Zitate, Merksprüche und Spruchweisheiten in den *status posts* und *cover pictures* weiblicher *facebook*-Profile betrachtet. Noch aus dem neunzehnten Jahrhundert stammt ein literarisches Florilegium oder Poesiealbum in unserem Familienarchiv, das ein längst vergessener Verwandter im thüringischen Ruhla angelegt und die folgenden Jahrzehnte hindurch zusammen mit seinen Freunden und Freundinnen gepflegt hat – einerseits zu kalligraphischen Übungszwecken, andererseits zur moralischen Bekräftigung der Freundschaftsbünde, die unter dem Stern der eingetragenen Maximen standen. Und auch meine Mutter unterhielt, spätestens seit sie zwanzig war, Kladden, in die sie (größtenteils in der schwer lesbaren Sütterlin) Auszüge aus Wer-

Erfahrungsregel.

Sättige nie dich am Schönen, es bleibe dir
einer Erscheinung,
Hast du der Wünsche nicht mehr, hörst zu genießen du auf
Wundre dich nicht, daß dieses hienieden sich
also verhalte,
Sind auf Erden doch nur kurze Erscheinung wir selbst.

Aus den Gedichten des
Königs Ludwig von Bayern

ken von Goethe, Schiller, Lichtenberg, Heraklit, Hölderlin, Franz von Assisi, Saint-Exupéry, Martin Heidegger, Werner Bergengruen, Christian Morgenstern, C. G. Jung, Ernst Jünger, Rainer Maria Rilke, Maurice Maeterlinck, Jakob Böhme, Adalbert Stifter, Rudolf Steiner, George Bernard Shaw, Egon

Friedell, Dale Carnegie, Henri Stendhal, Bertrand Russell, José Ortega y Gasset hineinschrieb. Oder auch Zitate von heute ganz vergessenen Modeschriftstellern der Zeit: Oscar M. Schmitz, R. H. Felix, Fritz Künkel. In diese Hefte (von denen drei auf mich gekommen sind) trug sie bis in die ersten Nachkriegsjahre ein, was ihr als Essenz bürgerlicher Bildung und Moralphilosophie besonders einleuchtete und was ihr inneres Leben tröstend zu bereichern schien. So stellte sie über die Jahre des Kriegs und der Frühgeschichte Westdeutschlands eine literarische Enzyklopädie bürgerlich-weiblicher Innerlichkeit zusammen.

Jahrzehnte später, 1977, standen nicht nur meine Eltern vor einem neuen und grundlegend anderen Lebensabschnitt. Auch ich würde bald das erste Staatsexamen machen, hinter dem die Frage der beruflichen Zukunft bedenklich und folgenschwer auftauchte. Ich hatte mich von meiner Freundin getrennt und in eine andere junge Frau verliebt. Die Dinge waren in Bewegung geraten im Jahr 1977. Der baptistische Erdnussfarmer Jimmy Carter wurde als Präsident der Vereinigten Staaten vereidigt und kündigte eine auf bürgerlichen Freiheitswerten beruhende Außenpolitik an. Die ersten *personal computer* wurden der Öffentlichkeit vorgestellt. Man hörte – verwundert oder begeistert – das erste Album der Sex Pistols. Elvis starb. Die »Rote Armee Fraktion« scheiterte beim Versuch, durch Entführung des Arbeitgeberverbandspräsidenten Hanns-Martin Schleyer ihre in Stuttgart-Stammheim inhaftierten Führungsleute freizupressen. Ich begann mich innerlich abzuwenden von der linksradikalen Studentengruppe, in die ich 1974 unbedachterweise eingetreten war und aus der ich ein paar Jahre lang nicht mehr herauszufinden schien.

Dass sich ein luxuriöserer, ideologisch weniger verkrampfter und unbeschwerterer Weltzustand anzukündigen schien, war unserem Familienleben abzulesen an einer gewissen Lockerung der Sitten. Wenn ich in der kleinen Dachwohnung bei München, in die meine Eltern (ohne meine Schwester) inzwischen umgezogen waren, mich in den Weihnachtsferien oder für ein Wochenende einquartierte, schliefen meine Eltern lang und frühstückten im Bett. Sie lasen plötzlich zeitgenössische amerikanische Romane. Abends gab es Wein und französische Käsesorten, von denen ich noch nie etwas gehört hatte und die mein Vater auf dem Münchner Viktualienmarkt einkaufte. Und meine Eltern ließen sich in ausgedehnten Gesprächen durch den Kopf gehen, wohin sie sich versetzen lassen sollten, wenn mein Vater nach vertragsgemäßer Beendigung seines Abteilungsleiterjobs in der Münchner Zentrale des Goethe-Instituts von dessen Personalabteilung aufgefordert werden würde, sich um die Leitung eines Instituts im Ausland zu bewerben. Die Welt öffnete sich für meine Eltern, und wie es in Familien immer zugeht, bot die Befreiung meiner Eltern zugleich auch Chancen für meine Schwester und mich.

Das Zitat meiner Mutter in der Familienausgabe der Grimm'schen Märchen, die seit 1977 mir gehört, war deshalb auch keine resignierte oder depressive Erklärung und Entschuldigung einer auf mythische Weise nicht zu ändernden Einrichtung der Welt und des Lebens, wie es fast zwanzig Jahre zuvor ihr Geschenk des Tierromans »Bambi« gewesen war. Im Gegenteil. Die Zeilen aus »Die natürliche Tochter« enthalten eine Zusage. Eine Aufforderung. Meine Mutter wollte mich dazu auffordern, Vertrauen zu haben angesichts der Änderungen und Risiken, die familiär ins Haus standen.

Sie ermutigte mich und sich. Es würde schon gutgehen mit der Übersiedlung nach Athen, mit den Staatsexamina, mit der Stellensuche, mit der neuen Freundin. *Und wie getragen werden wir zum Ziel.*

Die Eintragungen in den drei Florilegien meiner Mutter setzen in den frühen vierziger Jahren des letzten Jahrhunderts ein, zu Beginn des deutschen Angriffs auf die Sowjetunion. Die heroische und bald darauf dann tragische Grundstimmung der Zeit spiegelt sich in ihren ersten Eintragungen, die zunächst noch fast durchgehend datiert sind. Dann, gegen Ende des Krieges, werden sie auf traurige Weise krakelig. Ihre Verwundung zwang meine Mutter damals, mit links zu schreiben. Mit dieser unsicheren Handschrift trug sie zum Beispiel Hölderlins späten Vierzeiler »Die Linien des Lebens sind verschieden« ein; und Goethes »Proömion«. Offensichtlich hatte sie diese Hefte im Krieg immer bei sich, schrieb und blätterte in allen ihren sich zunehmend verdüsternden Lebenslagen darin. Vielleicht, dachte ich manchmal, während ich in ihnen herumlas, hat sie ihre Zitatensammlung als Aufschlagorakel benutzt.

Die Jahre unmittelbar nach dem Krieg waren für meine Mutter (und, wie man aus zahlreichen Lebenserinnerungen weiß, für das ganze Land) eine besonders intensive Zeit des Lesens und Nachdenkens, der nachholenden Aneignung verschiedener Ideen und Standpunkte. Die Eintragungen aus den Jahren 1946 bis 1948 füllen die beiden späteren der drei noch erhaltenen Hefte ganz aus. Zu datieren sind sie durch eine Eintragung meiner Tante. Die jüngere Schwester meiner Mutter gestaltete eine Seite am 18. November 1946 nach den Regeln des traditionellen Poesiealbums. Im November 1946 wurde die UNESCO gegründet; Tony Benn wurde Treasurer der Oxford Union; Jawaharlal Nehru appellierte an die Supermächte, in Verhandlungen über atomare Abrüstung einzutreten. Und meine Tante ging nach Amerika, für immer. Das Gedicht »Geheime Verabredung« von Christian Morgenstern bildet ihren Abschiedseintrag im Poesieheft meiner Mutter:

Glühend zwischen dir und mir
Julinächte brüten;
gleiche Sterne dort und hier
unsern Schlaf behüten.
Wähl das schönste Sternelein,
will das Gleiche tuen; –
morgen droben Stelldichein
auf geheimen Schuhen.
Gibst du nur nichts anderm Raum,
als mich dort zu finden,
wird ein gleicher süßer Traum
dich und mich verbinden.

Aber auf den Seiten aus den frühen Nachkriegsjahren lese ich auch erstmals, zusammen mit dem aktivistischen Anruf der Weltseele aus Goethes »Natürlicher Tochter«, der 1977 in Grimm's Märchen wiederauftauchen sollte, aus dem Englischen übersetzte Zitate. Die amerikanische *Re-Education* hatte eingesetzt. Es waren jetzt andere Bücher auf dem Markt. Die Lesefrüchte deutscher Schicksalsromantik treten zurück. Dafür gibt es jetzt solche aus dem Umkreis des »New England Transcendentalism« und des Amerikanischen Pragmatismus, die dann bezeichnenderweise auch schon nicht mehr in der Sütterlin notiert wurden, sondern

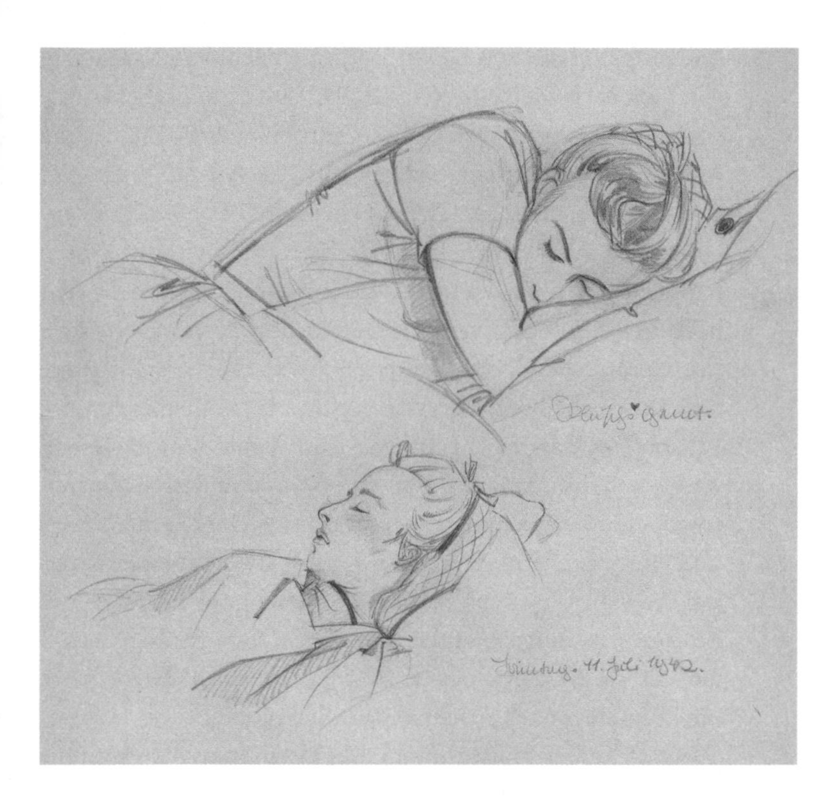

in lateinischer Schreibschrift, für uns Heutige problemlos lesbar. Meine Mutter scheint zum Beispiel Ralph Waldo Emerson gelesen zu haben und machte sich Auszüge aus seinen Essays »Self-Reliance« und »The Over-Soul«. Aber auch William James wird zitiert, der amerikanische Philosoph und Psychologe, der mit seiner Harvard-Vorlesung »Pragmatism. A New Name for Some Old Ways of Thinking« 1907 einer philosophischen Richtung den Namen gab, die wie keine andere geeignet ist, doktrinäre Engstirnigkeit und totalitäre Ideologien durch Ironie und Realitätssinn tröstlich zu unterlaufen. Mit den transzendentalistischen und pragmatistischen Denkern wurde nach dem Krieg (und dann wieder in den Jahren nach 1977) ein optimistischer, lässiger, zupackender Denkstil in Deutschland wirksam, eine fröhliche Wissenschaft von jenseits des Atlantiks. Es war eine Art Rück-Import. Denn Emerson, Thoreau, William James und John Dewey hatten sich im frühen neunzehnten Jahrhundert durchgehend auf Johann Wolfgang von Goethe bezogen. Einer der wichtigsten Berührungspunkte dieses transatlantischen Geistergesprächs war die Überzeugung, dass die Welt ihren Bürgern gegenüber nicht gleichgültig ist, sondern dass eine pantheistische Verbindung zwischen unseren Gefühlen und Taten einerseits und den objektiven Gegebenheiten andererseits besteht. Wie Goethe in Weimar und Novalis in Jena sprachen Emerson, Thoreau oder James der Welt eine *Beseelung* zu. Diese Überzeugung hatte meiner Mutter 1948 eingeleuchtet, und sie fiel ihr offenbar wieder ein, als sie 1977 für ein paar Goethe-Instituts-Dienstjahre meines Vaters nach Athen auswandern sollte.

»Das Universum ist für den religiösen Menschen kein *Es*« – so formuliert William James in seinem Aufsatz »The Will to Believe« die verschwiegene pantheistische Orthodoxie der »Pragmatists« –, »sondern ein *Du*; alle Beziehungen, die zwischen Personen möglich sind, sind auch in diesem Verhältnis möglich. Obwohl wir passive Bausteine des Universums sind, legen wir andererseits eine merkwürdige Autonomie an den Tag, als wären wir selber zwar kleine, aber selbständige und aktive Zentren. Wir haben das Gefühl, als appelliere Religion an unseren aktiven guten Willen. Als könnten uns Beweise für immer vorenthalten werden, wenn wir der religiösen Hypothese nicht auf halbem Weg entgegenkommen. (…) Die Intuition (woher sie uns aufgezwungen ist, wissen wir nicht), dass wir mit dem beharrlichen Glauben an das Göttliche (obwohl der Unglaube unserer Logik und unserem Leben so leicht fallen würde) dem Universum den tiefsten Dienst erweisen, dessen wir fähig sind, scheint zur Essenz der starken religiösen Hypothese zu gehören.«

Der Dienst, den die Seele des Einzelnen dem Universum erweist, indem sie der Weltseele einen Vertrauensvorschuss gibt, ist keine Selbstverleugnung, keine intellektuelle Selbstaufopferung. Diese Dienstleistung der Menschen für die Welt ist nicht einmal uneigennützig. Denn erst entschiedene Parteinahme für das eigene Selbst und der Trotz, mit dem wir auf den eigenen Intuitionen und sogar Idiosynkrasien bestehen, »rufet die Arme der Götter herbei«, wie es bei Goethe einmal heißt. Meine Mutter zitierte aus »Self-Reliance« von Ralph Waldo Emerson, irgendwann im Jahr 1948: »Jeder Mensch erlebt in seinem Bildungsgang eine Zeit, wo er zu der Überzeugung kommt, dass Neid Unwissenheit ist; dass Nachäffen Selbstmord ist; dass er sich selbst so hinnehmen muss, wie er ist, gehe es wie es wolle; dass, wenngleich die Welt voll des Guten ist, kein Kernlein nährenden Korns ihm zufallen wird, ohne dass er das Fleckchen Erde, das ihm zugeteilt wurde, in mühevoller Arbeit bestellt. Die Macht, die ihm innewohnt, ist etwas Neues in der Natur; niemand als er weiß, was er zu tun imstande ist, und auch er weiß es nicht, bevor er es versucht hat.« Fünf Jahre vor meiner Geburt und fünfzehn, bevor in Konrad Adenauers und Ludwig Erhards Deutschland die Welt für Frauen wieder wie mit Brettern vernagelt sein sollte, nahm meine Mutter, eine optimistische junge Bürgerin der amerikanischen Besatzungszone, versuchsweise und zeitweilig die transzendentalistisch-pragmatische Überzeugung an, dass man den Sinn der Welt nur in sich selber suchen und sich schon darauf verlassen kann, dass das Universum, wenn man ihm auf halbem Weg entgegenkommt, einen ins Ziel trägt. Seit sie ihre literarische Blütenlese im Stalingrad-Jahr 1942 mit depressiv-heroischen Spruchweisheiten begonnen hatte, war sie nach den Jahren des Kriegs, der bedingungslosen Kapitulation, des Nachkriegshungerns und der *Re-Education* ein paar Monate und Aufzeichnungen lang in einer heiteren, hoffnungsvollen, aktivistisch-transatlantischen Geisteswelt angekommen, zu denen sich (*Sommer 1951, als ich auf Stephan wartete ...*), sozusagen als poetische Illustration, lange Auszüge aus Saint-Exupérys »Kleinem Prinzen« gesellten.

»Das Recht ein anderer zu werden« – diese Definition weltoffener Frömmigkeit in einem berühmten Buchtitel der feministischen Theologin Dorothee Sölle ist das geheime Motto dieser Blätter aus dem Lesebuch ihres Inneren und eine Facette im Charakter meiner Mutter, die sich nach dem Krieg eine Weile lang offenbart und in unserem Leben bewährt hatte. Hier war der zuverlässige Gegenpol zur Esslinger Naziwelt gefunden, das Heilmittel gegen die dämonischen Echos, mit denen das väterliche Erbteil in ihrem Inneren und in ihrem Verhalten immer wieder spukte. Die beiden Diktaturen, aus deren Kampf die Haupt- und Staatsaktionen des letzten Jahrhunderts bestanden haben und denen meine Mutter einen schweren Unglückstribut entrichten musste, machten ihren Untertanen das individuelle Recht streitig, ein anderer zu werden. Aber mit der heiteren und zuversichtlichen Seite ihres Wesens, die ich als kleines Kind an ihr erlebt hatte und die in den späten siebziger Jahren wieder hervortrat, hatte meine Mutter Anteil an der »gaya scienza« des *Pragmatism* und des *New England Transcenden-*

talism. In der Nachkriegszeit, als intellektuelle Nutznießerin der *Re-Education*, machte sie Bekanntschaft mit den märchenhaften, den optimistischen und zukunftszugewandten Tendenzen der Zeit. Es war ihr konstruktivistisches Erbteil. Sie hatte es in den ersten Jahren der bundesrepublikanischen Friedensperiode in Besitz genommen und unterschwellig, in literarischen Kassibern, der Schaffung gewisser Atmosphären, in Mimik und beiläufigen Bemerkungen, an mich weitergegeben. Dieses geistige Familienerbstück stammt aus dem neunzehnten Jahrhundert, aus Weimar, Concord und Harvard. Es ist die Intuition, dass man ein anderer (eine andere) werden kann, wenn man auf sich hört, der Welt vertraut und sich anstrengt. Es war zugleich die Intuition des frühen Feminismus. Dass sich diese Intuition dann im Werk von Judith Butler in Gestalt einer Art Theorie-Rokoko zu einem ausweglosen Grübeln über die Konstruiertheit *aller* Geschlechtseigenschaften weiterentwickeln würde, hat meine Mutter nicht mehr wahrgenommen; sie hätte es auch nicht verstanden oder gut gefunden. Für Margot Wackwitz waren Männer Männer und Frauen Frauen, und sie freute sich an diesem Unterschied. Mir aber bleibt die ursprüngliche feministische Einsicht meiner Mutter (die sie wenig später verleugnen zu müssen glaubte) in Erinnerung als eine Mischung aus weiblicher Eleganz, Zuversicht, Phantasie, Zivilcourage und der Überzeugung, dass die Welt offen für uns ist, wenn wir uns für sie öffnen.

Ein erweiterter Kunstbegriff

Oh, Frank. Can you really think artists and writers are the only people entitled to lives of their own?
»Revolutionary Road«

In »Revolutionary Road« und in anderen Büchern Richard Yates' fusioniert der Angestellten- mit dem Künstlerroman. Aber auch in den Büchern John Updikes, Rick Moodys, Richard Fords und Philipp Roth' spielt die von Michael Rutschky so genannte »eigentliche Arbeit« des Angestellten (die er sich als das Singen, das Schreiben, das Tanzen vorstellt) eine wichtige Rolle. Die großen Filme Woody Allens leben von diesem Motiv. Berühmte Unternehmer werden heute nicht mehr, wie noch zu Beginn des Jahrhunderts der »Titan« John D. Rockefeller, mit Feldherren oder Kapitänen verglichen, eher nähert sich ihr Bild dem von erfolgreichen Künstlern an, wie zum Beispiel das Image Steve Jobs' oder Mark Zuckerbergs. Andy Warhol brachte zu Beginn der achtziger Jahre das Unternehmer- mit dem Künstlerimage zur Deckung, indem er sein Atelier »The Factory« nannte. Und in Martin Scorseses »The Departed« zitiert sogar der Gangsterboss Frank Costello (der im Übrigen so lebt, wie man es sich von einem dekadenten Unternehmer vorstellt) den Künstlerintellektuellen John Lennon und vergleicht sein Verbrechersyndikat mit einem Kunstwerk. Dass seit den achtziger Jahren die Bürger – und schließlich sogar die Filmgangster – sich das Künstler-Sein zum Vorbild nehmen (statt dass sie, wie seit Menschengedenken zuvor, davon träumen, wie Adlige zu leben), verweist auf Verhältnisse und Mentalitäten, die man, ebenfalls seit dieser Zeit, »postmodern« nennt. Erst in einer flexibilisierten, entinstitutionalisierten Weltgesellschaft, die sich von traditionellen Lebensmilieus, Standesbeschränkungen und Moralsystemen abgekoppelt hat, wird erkennbar (oder überhaupt erst wahr), dass Künstler mit Farbe oder Sprache nichts Unbegreiflicheres tun, als »was andere mit ihren Partnern und Kindern tun, mit Arbeitskollegen, Handwerkszeugen, den Kontoauszügen ihres Geschäftes, dem Besitz, den sie in ihren Häusern ansammeln, der Musik, die sie hören, dem Sport, den sie ausüben oder beobachten, oder auch den Bäumen, an denen sie auf dem Weg zu ihrer Arbeit vorbeikommen« (so Richard Rorty). Wie es im achtzehnten Jahrhundert den Werther- oder den Louis-XV.-Stil gegeben hat, im neunzehnten den Gartenlauben- und im frühen zwanzigsten den Jugendstil, so wird die Angestelltenkultur seit den frühen achtziger Jahren geprägt durch einen »Künstlerstil« des Sichkleidens und -frisierens, des gemeinsamen Daherredens, der Freizeitgestaltung, des Denkens und Sichsehnens. In den Angestelltengesellschaften des Westens wird seit damals ein Motiv des bürgerlichen Bildungs- und Künstlerromans wiederbelebt. Der Held im Klassiker dieses Genres, der junge Kaufmannssohn Wilhelm Meister in Goethes »Lehrjahren«, will eigentlich Schauspieler sein. Und ungefähr seit dem Wechsel der siebziger zu den achtziger Jahren sahen auch wir bundesdeutsche Studenten (Lehramtsanwärter, Versicherungsangestellte, Verkäuferinnen, Kneipenwirte) uns in unseren Tagträumen zuallererst und am liebsten als Künstler. Dass sich mit diesem »Nouvel Esprit du Capitalisme« (wie ein Buch von Luc Boltanski und Ève Chiapello aus dem Jahr 1999 heißt) auch ganz neue Formen der Ausbeutung, Selbstausbeutung und Verelendung gesellschaftlich ausbreiten können, würde sich erst in unserem Jahrhundert herausstellen und war in den achtziger Jahren des letzten noch nicht sichtbar.

Zur Zeit des Abschieds meiner Eltern aus Deutschland verkörperte sich das geheime Kunstwollen der westlichen Gesellschaften – eine Art Mode gewordene romantische Universalpoesie – besonders lautstark und geradezu marktschreierisch in der Figur des anthroposophischen Künstlers Joseph Beuys. Er begleitete sein umfangreiches und vielfältiges Werk durch aufsehenerregende öffentliche Auftritte und war mit seinen Verlautbarungen und Forderungen zu einem beliebten Diskussionsgegenstand des Feuilletons geworden. Nicht nur er selbst (der sich freilich entschieden traditionell, nämlich als Schamane einer Kunstreligion inszenierte), sondern jeder Mensch, glaubte Beuys, sei ein Künstler. Den durch diese Behauptung »erweiterten Kunstbegriff«, von dem damals überall die Rede und der fast schon das Selbstverständliche war, bezeichnete Beuys als sein größtes Kunstwerk. Und eine einflussreiche Ausstellung des Stuttgarter Kunstvereins, die ich seinerzeit ein halbes Dutzend Mal besucht haben muss – »Szenen der Volkskunst« –, zeigte 1982 das Künstlerische in alltäglichen Lebensformen auf – in Tätowierungen, Haartrachten, Graffitis, in der Punkmusik. Aber eben auch in den Werken Martin Kippenbergers und der neoexpressionistischen »Neuen Wilden«. In Berlin-Kreuzberg betrieben Künstler jetzt Esslokale und Diskotheken.

Das Goethe-Institut, der Arbeitgeber meines inzwischen in Athen berufstätigen Vaters, wurde in diesen Jahren geradezu eine gesellschafts- und außenpolitische Agentur des Beuys'schen erweiterten Kunstbegriffs, der schon in den Grundsatzpapieren des Außenministers Willy Brandt und dann der ersten sozialliberalen Regierung in den siebziger Jahren als »erweiterter Kulturbegriff« aufgetaucht war. Damit war zunächst nur gemeint, dass jetzt nicht mehr nur Streichquartette, Ölbilder, Gedichtrezitationen, Theaterstücke und Filme deutsche Kultur sein und zur nationalen Selbstdarstellung ins Ausland verschickt werden sollten. Sondern auch Seminare über Ökologie, die bundesrepublikanische Kommunalverwaltung oder nachhaltige Entwicklungspolitik. »Erweiterter Kulturbegriff« ist in einer tieferen Bedeutungsschicht aber auch eine sehr genaue Beschreibung des neuen Künstlerstils im Angestelltenmilieu der westlichen Länder. Damals begann die Auflösung der Kunst ins Leben, die uns immer noch beschäftigt. Denn jede politische, wirtschaftliche oder kulturelle Kommunikation – so will es diese sehr einfluss- und folgenreiche Träumerei aus den späten siebziger und frühen achtziger Jahren bis heute – soll in Wirklichkeit eine »soziale Plastik« sein, eine »relationale Intervention« oder wie die gerade gängigen und mit ähnlichen Bedeutungsumfängen immer wieder neu formulierten Begriffskonstruktionen (oder vielleicht eher: Begriffssimulationen) lauten.

Diese alten (frühromantischen, theosophischen, lebensreformerischen) Lehren traten nach den Erschütterungen der späten sechziger Jahre und dem Veralten des seit 1968 gängigen »Revolutionsstils« in verschiedenen zeitgenössischen Formen jetzt wieder hervor. Sie zeitigten Folgen auch in unserer Familie. Die frühen Künstlervorhaben und -träume meiner Eltern regten sich wieder. Die Erinnerung an den aufgegebenen Beruf meiner Mutter und an das künstlerisch stilisierte Haus- und Familienleben der fünfziger Jahre auf dem Stuttgarter Killesberg lebte wieder auf. Das komfortable Auslandsgehalt meines Vaters ermöglichte einen nachhaltigen Wohlstand. Und die Tendenz des Zeitalters, so gut wie alles zu Kunst und Kultur zu erklären, brachte im Leben meiner Eltern, je weiter es in die achtziger Jahre hineinging, eine lebensgeschichtlich verspätete Bohemegesinnung und -lebensweise hervor. Mein Vater ließ sich einen Bart stehen. Meine Mutter schneiderte tolstoi- oder mariahesseartige Bauern- oder Trachtenkittel aus grobem Leinenstoff, in denen meine Eltern am Wochenende herumliefen. Sie ließ sich eine Kurzhaarfrisur schneiden, mit der sie aussah wie Gertrude Stein. Klobiger griechischer Silberschmuck tauchte in ihrer Garderobe auf, und manchmal, halb im Spaß aufgefordert von seiner Frau, legte sogar mein Vater versuchsweise etwas Derartiges an. Ich konstatierte es bei meinen Besuchen in den Semesterferien mit Verwunderung. Meine Eltern gaben und kleideten sich in ihrer Dienstwohnung im Athener Villenvorort Paleo Psichiko (vor der Terrasse stand ein Eukalyptusbaum und bewegte seine lanzenförmigen Blätter im mediterranen Wind) neuerdings »künstlerisch«. Sie hatten sich in Wochenend-Hippies verwandelt.

In den bürgerlichen Familien ihrer Kollegen und Freunde begab sich Ähnliches. Ehekrisen kamen vor, sogar Scheidungen. Denn man legte jetzt Wert auf »Selbstverwirklichung«. Ein schwer zu definierendes »eigenes Leben«, dessen Unbestimmtheit (und zum Teil Verantwortungslosigkeit) die jetzt angestrebte »Authentizität« paradoxerweise jedoch gerade beglaubigte, wurde zu einem allgemein akzeptierten Ideal. Und die Angestellten lebten und fühlten jetzt nicht nur wie die Künstler, sondern sie pfuschten ihnen auch beherzt ins Handwerk. Die eine töpferte, ein anderer »schrieb einen Roman«, eine dritte dilettierte in Öl. Jüngere Kolleginnen und Kollegen (damals begann es auch, dass der Plural in zweigeschlechtlichen Doppelformen auszusprechen und hinzuschreiben war) sahen in meiner Mutter jetzt eine ältere Freundin, ein aus der Vorkriegszeit stammendes Vorbild ihrer eigenen Sehnsucht nach dem Künstlerischen. Mit meinem bärtigen Vater jedoch tranken und flirteten sie; er »diskutierte nächtelang« (wie die jetzt vorschriftsmäßig werdende Formel unweigerlich lautete) mit den jungen Leuten. Dass es dabei vermutlich nicht um Kunst ging, sondern meist wohl nur um Betriebsklatsch und »kommunikative Methodik und Didaktik«, tat dem im Bekanntenkreis meiner Eltern um sich greifenden Boheme-Habitus und Künstlerstil keinen Abbruch. Das Leben der Angestellten begann sich in eine soziale Plastik zu verwandeln.

Noch einmal wurde meine Mutter von ihren frühen Freiheitsträumen eingeholt. Aber diesmal zu ihrem und unserem Glück. Was meine Mutter lange zu einem Fremdkörper in ihrem eigenen Leben gemacht hatte, erschien jetzt nicht mehr schlimm und war sogar ein Ansporn für Jüngere. Ihr als Beruf gescheitertes Künstlersein löste sich in der Gesellschaft der frühen achtziger Jahre auf wie eine Sprudeltablette in einem Glas Wasser. Sie »zeichnete« auch wieder (obwohl nach der langen Pause nicht mehr viel daraus wurde), bemalte Schränke nach dem Vorbild barocker Bauernmöbel, machte Puppen und schneiderte viel. Mein Vater arbeitete derweil am Wochenende an essayistischen Reiseberichten über

Südafrika, wo er aufgewachsen war und wohin er 1976 zurückkehrte auf einer privat verlängerten Dienstreise (»Mein Südafrika«). Er machte sich memoirenhafte Aufzeichnungen über seine Erlebnisse mit der griechischen Kunst, aus denen nach seinem Ruhestand ein regelrecht druckfähiges Manuskript wurde (»Le Peuple des Statues«). Er begann zu fotografieren und entwickelte dabei einen gestalterischen Ehrgeiz, den ich zuvor nie an ihm wahrgenommen hatte. Auf Ausflügen und Reisen schauten sich meine Eltern Griechenland an und diskutierten abends beim Wein über ihre Eindrücke. Obwohl sie sich den wirklichen Risiken des Künstlerberufs (jenem Geldverdienen und Rezensiertwerden) nicht aussetzten und auch nicht aussetzen mussten, war Kunst jetzt (wieder) Teil ihres Lebens und, wie sich an den Experimenten mit ihrem Äußeren zeigte, auch ihres innersten Selbstgefühls. Auch die psychoanalytisch inspirierten Erinnerungsnotizen meiner Mutter über ihren Vater stammen aus dieser Zeit. Meine Eltern hatten zu Beginn der achtziger Jahre ihr Recht in Anspruch genommen, andere zu werden. Die Kunst des zwanzigsten Jahrhunderts war mit ihrem wichtigsten Gestaltungsmittel, jener neuformatierenden »Verklärung des Gewöhnlichen«, in unserer Familie angekommen. Im Schutz des »erweiterten Kunstbegriffs« wagten es meine Eltern endlich, ihr Leben so zu leben, wie sie es in Stuttgart in den fünfziger Jahren erträumt und geplant hatten. Sie nahmen teil am Künstlerstil des deutschen Mittelstands vor 1989. Es war das *happy end* der gleichen inneren Kämpfe und Sehnsüchte, die in Richard Yates' »Revolutionary Road« 1961 noch tragisch enden mussten. »Es war unsere glücklichste Zeit«, sagte mein Vater neulich, als wir in seinem Haus am Bodensee saßen und eine Flasche Wein tranken.

Ich selbst war derweil in Stuttgart zurückgeblieben, wohnte im »Bohnenviertel«, einem sich gentrifizierenden Rotlichtbezirk der Innenstadt, in einer billigen Dreizimmerwohnung mit Außentoilette, ging zweimal die Woche zur Psychoanalyse, an Wochenenden zu »Urschrei-Workshops« und schrieb morgens an einer mich mäßig interessierenden Doktorarbeit über den deutschen Romantiker Friedrich Hölderlin. Die Nachmittage verbrachte ich im Leuze-Mineralbad, die Abende aber in der Weinstube Fröhlich oder im La Concha, den beiden damals angesagten Stuttgarter Künstlerlokalen. Denn Stuttgart war damals, so wenig man es inzwischen noch glauben mag, neben Köln und Berlin ein Hauptort zeitgenössischer Kunst. Die heute international berühmten Galeristenstars Tanja Grunert und Max Hetzler saßen in der Weinstube Fröhlich am Nebentisch und vor dem La Concha lehnte man später in der Nacht mit ihnen und ihren Künstlern, eine Bierflasche in der Hand, am Geländer eines in irgendeinen Untergrund führenden Treppenabgangs. Mit Isabella Kacprzak-Czarnowska, die neunzehnjährig aus dem damals im Ausnahmezustand erstarrten Warschau in die Stadt gekommen war und von der niemand auch nur im Entferntesten angenommen hätte, dass sie wenige Jahre später eine Zeitlang zu den einflussreichsten Galeristinnen der Republik gehören würde, verband mich eine jahrelange, stürmische und folgenlose Liebesbeziehung. Auch ein intensives Gespräch mit dem New Yorker Konzeptkünstler Joseph Kosuth gehört zu meinen Erinnerungen an diese Stuttgarter Nächte in den frühen achtziger Jahren. Und einmal ein ausgedehntes Angepöbeltwerden durch Martin Kippenberger.

Dabei war ich, anders als meine neuen Freunde und Vorbilder, gar kein Künstler. Was viel Demütigendes für mich hatte. Zwar schrieb ich irgendwie schon seit ich neunzehn war und pflegte in meinen Kunstgroupie-Jahren eine intensive Arbeitsfreundschaft mit dem Stuttgarter Maler Tilman Bidlingmaier, die sich um ein gemeinsames malerisch-literarisches Vorhaben mit dem Titel »American Gorilla Project« rankte. Aber im Grunde war ich halt bloß der Autor einer mediokren Doktorarbeit und wenig später dann, was meine Schmach weiter vertiefte, als Studienassessor »Beamter auf Widerruf«, eine Lebensstellung und Existenzform, die – paradoxerweise irgendwie noch schlimmer – dann bald genug auch tatsächlich widerrufen werden sollte. So saß ich an einem Abend – es war, wie aus meinem Tagebuch hervorgeht, der 24. März 1981 – in meiner Wohnung in der Stuttgarter Katharinenstraße hoch über einem Lokal namens Finkennest, das damals ein Zuhälter- und Nuttentreff war (und später, wie man mir berichtet hat, zu einem Schwulenlokal umformatiert wurde). Ich schrieb die Gefühle und Reflexionen, die mich in der Endphase meiner Psychotherapie innerlich bewegten, in mein Tagebuch, ein paar Monate bevor ich sie beenden, mein zweites Staatsexamen ablegen und für zwei Jahre als Universitätslektor nach London gehen würde. *Die Arbeit ist für mich intensiv narzisstisch besetzt im Moment. Ich fühle mich toll als Literaturwissenschaftler, als jemand, der wissenschaftlich und künstlerisch schreibt. Am Sa. bis 11 in der Nacht gearbeitet, gelesen, meditiert, geschrieben, auf der Gefühlsbasis dieser Arbeit, durch sie und mich selbst narzisstisch gesättigt, ins Lehen und dann ins La Concha, zufrieden mit dem oberflächlichen Kontakt, den ich da hatte, ins Bett, bei mir selbst, mit mir selbst im Reinen. Traum: Mit Mutti in einer Art Hotel. Mutti und ich fangen eine Kobra, mit der wir aber umgehen kön-*

nen. Ich tue sie in meine Stofftasche. Dazu tue ich leichtfertigerweise eine Schallplatte mit einer Lesung von Eckhard Henscheid. Weil die LP so sperrig ist, kann man den Beutel nicht mehr richtig zuziehen, und durch die entstandene Lücke flieht die Kobra. Kobra: narzisstischer Größenwahn, von Mutti und mir gepflegt, der durch Literatur freigesetzt wird und entkommt (aber vielleicht auch einfach weggeht). Die Schlange kann uns nichts mehr tun. Der Traum behält seine »künstlerische« Leichtigkeit, und die zuversichtliche Stimmung bleibt beim Aufwachen erhalten.

Heute, im Rückblick nach dreiunddreißig Jahren, wird mir beim Wiederlesen dieser Notizen klar, dass ich im Frühling 1981 die Ziele der psychoanalytischen Arbeit – lieben und arbeiten zu können – einigermaßen erreicht hatte (so vollstän-

dig, wie es mir nun einmal gegeben ist). Die gesellschaftlichen Stimmungen des Jahrzehnts hatten die innere Entwicklung begünstigt. Im Zeichen der deutschen Kunstrevolution der achtziger Jahre war die Umarbeitung der narzisstischen Neurose in intellektuelle und künstlerische Arbeitsfähigkeit gelungen – die gute Note im zweiten Staatsexamen würde es mir und allen anderen wenig später beweisen. Und die Liebesfähigkeit war mit der versöhnlichen, lustigen, zuversichtlichen und vertrauten Stimmung des Tagebucheintrags und des Traums zumindest in den Bereich des Denk- und Fühlbaren gerückt. Am folgenreichsten aber war, dass unterm Schutz und mit Hilfe der »künstlerischen« Neuformatierungskunst Psychoanalyse der erweiterte Kunstbegriff 1981 auch meine Angestelltentätigkeit in sich aufgenommen und in etwas narzisstisch Befriedigendes umzuarbeiten begonnen hatte. *Und wie getragen werden wir zum Ziel.* Nicht nur meine Mutter war in den frühen achtziger Jahren eine Weile lang gerettet, sondern auch mein inneres Mutterbild hatte sich stabilisiert und konnte ab jetzt reale berufliche und künstlerische Vorhaben inspirieren statt wie bisher nur immer den Unfug des Größenwahns und der zu ihm gehörenden Vernichtungsgefühle anzustiften. Die Kobra der narzisstischen Störung war zwar noch da, aber sie konnte (oder wollte) mir nichts mehr tun. Sie hatte sich, in der Bildsprache meines Traums, eine Weile lang irgendwie davongemacht. Kunst (jene *Schallplatte mit einer Lesung von Eckhard Henscheid)* hatte sie befreit. Jetzt konnte ein Angestelltenschriftsteller aus mir werden. Kurz nach meinem zweiten Staatsexamen, noch vor meiner Übersiedlung nach London, schrieb ich am ersten Kapitel meines ersten Buchs und veröffentlichte meinen ersten Artikel in der Stuttgarter Zeitung.

Ellingen

Die Kunstakademie Nürnberg ist die älteste in Deutschland. Sie wurde 1662 als »Malerakademie« gegründet, fast genau ein Jahrhundert nach der berühmten »Accademia delle Arti del Disegno« in Florenz, die allen Institutionen der Künstlerausbildung seither ihren Namen gegeben hat. Der Medicifürst Cosimo I. hatte die Akademie in Florenz zusammen mit Giorgio Vasari konzipiert, und alle Maler und Bildhauer der Florentiner Renaissance sind als Schüler oder Lehrer mit der »Accademia« verbunden gewesen. Cosimos Gründung war eine institutionsgeschichtliche Revolution. Denn Akademien waren ursprünglich Vereinigungen von Philosophen gewesen. Maler und Bildhauer dagegen hatten bis weit ins fünfzehnte Jahrhundert hinein als intellektuell nicht satisfaktionsfähige Handwerker gegolten. Dafür, dass auch sie sich jetzt akademisch zusammenschließen konnten, war eine starke theoretische Rechtfertigung erforderlich. Im neuplatonischen intellektuellen Klima der Florentiner Renaissance kam dem Standesinteresse der Künstler die sogenannte »Disegno-Theorie« entgegen, die Lehre von der Linie und dem Zeichnen als intellektuellem Element künstlerischen Schaffens (dem die Theoretiker der Bildhauerei eine analoge Philosophie der Kontur zur Seite stellten). Linie und Kontur

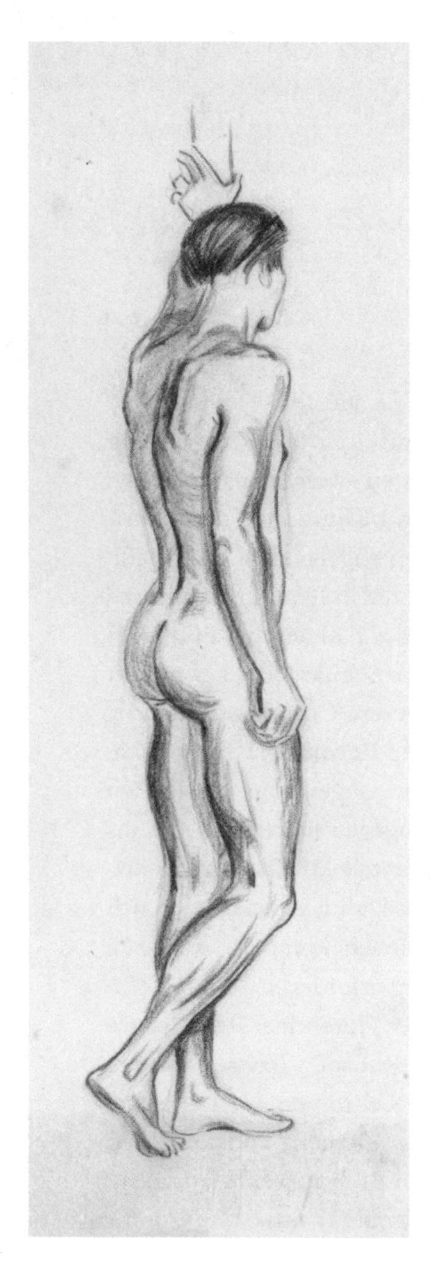

verkörperten die platonischen Ideen, die sich in den unordentlichen und von Materie überwucherten Erscheinungen verborgen hielten und jetzt von den Malern und Bildhauern, die plötzlich so etwas wie praktische Philosophen waren, mit ihren Werken ans Licht befördert wurden.

Die Nürnberger Akademie war dann von Ludwig I. von Bayern, trotz ihrer langen Geschichte, im frühen neunzehnten Jahrhundert zu einer Kunstgewerbeschule herabgestuft worden, um die (eigentlich viel jüngere) Akademie in München (dem neuen Florenz des romantischen Herrschers) zu privilegieren. Hitler dagegen erhob die Nürnberger Institution 1940 wieder in den Akademiestatus, und seine Funktionäre bauten sie unter dem Rektorat des neonaturalistischen Landschaftsmalers Hermann Gradl zu einer Kaderschmiede nationalsozialistischen Kunstwollens um – an der allerdings auch die angewandten Disziplinen Architektur und Gebrauchsgraphik prominent vertreten waren. Als in der Endphase des Zweiten Weltkriegs die »Stadt der Reichsparteitage« ein bevorzugtes Ziel alliierter Bombergeschwader wurde, verlegte man die Nürnberger Akademie 1944 in das eine Eisenbahnstunde südlich sehr abseits und idyllisch gelegene barocke Deutschordensschloss Ellingen, wo nach dem Krieg Max Körner Rektor wurde, der ehemalige Lehrer des Mode-Illustrators und späteren Pop-Malers Richard Lindner. Körner war zwar auch Nazi gewesen, aber zumindest nicht, wie der inzwischen geschasste Gradl, einer der Lieblingsmaler Adolf Hitlers. Lindner war davongekommen. Er lebte schon seit einem Jahrzehnt in New York und arbeitete an seiner künftigen Weltkarriere.

1945 war Deutschland ein demoralisiertes Trümmerfeld. Im kanadischen Kriegsgefangenenlager Monteith, sechshundert Kilometer nördlich von Toronto, machte mein Vater ein Notabitur und spielte unter der Regie des schwulen Kunsthistorikers Christian Adolf Isermeyer in einer Schülerinszenierung von Shakespeares »Kaufmann von Venedig« den Bassanio. Zwei Jahre später würde ihn die britische Armee, nach einem Jahr Zwangsarbeit in einer Fischkonservenfabrik auf der Isle of Man, in die Kanalfähre setzen und auf einem Bahnsteig des vollständig zerstörten westfälischen Münster in sein weiteres Leben verabschieden. Meine Mutter aber wurde 1945 als notdürftig wiederhergestellte fünfundzwanzigjährige Schwerkriegsbeschädigte aus einem Esslinger Krankenhaus entlassen. Die ersten Nachkriegssommer waren eine wettergeschichtliche Rarität, endlose Folgen schöner und heißer Tage. Man hatte zwar Hunger in Deutschland, man schämte sich des letzten Jahrzehnts, man hatte die staatliche Souveränität verloren und musste sich vor alliierten Spruchkammern verantworten. Aber man hatte überlebt. Es gab wieder Hoffnung auf ein normales Leben. Und es gab plötzlich Bücher und Bilder, in denen diese Hoffnung künstlerisch kodifiziert war als intellektuelle Freiheit, als der Traum einer stabilen deutschen Demokratie. Als das Land, in dem wir heute leben.

Wie es eigentlich zugegangen ist, dass meine Mutter 1945 und 1946 ein oder zwei Semester in Ellingen studiert hat, habe ich nicht genau rekonstruieren können. Vermutlich hat ihr mein Großvater diese Auszeit – großzügig und bildungsbeflissen, wie er trotz allem immer gewesen ist – als eine Art Rehabilitationsmaßnahme spendiert, nachdem sie das letzte Kriegsjahr in Hospitälern und im Niemandsland zwischen Tod und Genesung verbracht hatte. Egal, welche Familienentscheidungen und Zukunftsvorstellungen auch immer hinter der kurzen zweiten Studienzeit meiner Mutter gestanden haben mögen – in Ellingen war der alles beherrschende Tagtraum ihrer Verwundungszeit (*Dort möchte ich sein*) fast genauso wahr geworden, wie sie ihn in ihrem Krankenhausbett im Frühling 1945 gezeichnet

und sich vorgestellt hatte. Das malerische Deutschordensschloss nördlich des Altmühltals und die paar Straßenzüge, die es umgeben, war für meine Mutter 1946 eine lebensgeschichtliche Wunscherfüllung. Ein paradiesisches Intermezzo aus Kunst, Natur und barocker Architektur tat sich für sie auf. Meine Mutter genoss die Freundschaft mit ihrer Jugendgefährtin F. und die Kameradschaft – vielleicht sogar den einen oder anderen Flirt – mit jungen Studienkollegen. Und sie nahm in Ellingen ihren zerschossenen rechten Arm wieder in Besitz, indem sie ihre im Lettehaus erworbenen und in der Stuttgarter Werbeagentur Hohnhausen bereits jahrelang erprobten künstlerischen Fähigkeiten in einer akademischen Ausbildungssituation weiter vervollständigte.

Die Erzählungen meiner Mutter aus der Ellinger Zeit waren als Kind für mich eine Utopie. So wie ihr Ellingen stellte ich mir mein eigenes zukünftiges Studium vor. Tägliche Kunstübung (Aktzeichnen, figürliche Studien) in den hohen Sälen im unzerstörten Westflügel des Schlosses – nulla dies sine linea – war das *pièce de résistance* der Ausbildung. Die Freundin F. das lebenskünstlerische Vorbild. Die hübsche bayerische Generalstochter, aus deren Begabung in ihrem späteren Leben als Hausfrau und Mutter außer ein paar Illustrationen in obskuren Publikationen freilich nichts geworden ist, verkörperte die weltläufige Souveränität, die der Schwäbin Margot Hartmetz fehlte. F.s Lebensmut, ihre Vitalität und ihre zahlreichen erotischen Eroberungen imponierten meiner zeitlebens gehemmten und durch die Folgen ihrer Verwundung noch weiter verschüchterten Mutter. In Erinnerung geblieben ist mir von den in unserer Familie legendären Ellinger Abenteuern der »Tante F.« zum Beispiel eine paradoxe Intervention des mutigen und unkonventionellen Mädchens. Mitten in einem Streitgespräch mit einem Ellinger Bürger, der F. und meine Mutter zu vorlaut fand und dem die jungen Frauen zu artistisch, zu elegant (überhaupt irgendwie unheimlich) waren, sei F., komplett angezogen wie sie war, von einer Brücke in die Rezat gesprungen, zu keinem anderen Zweck, als ihren Kontrahenten zu schocken und ihm vor Augen zu führen, dass es den beiden gar nichts ausmachte und sogar recht war, von ihm für irre Künstlerinnen gehalten zu werden.

Nazizeit und Krieg waren kaum vorbei, und schon tat sich im Leben dieser jungen Frauen ein Freiraum der Exzentrik, der Kunst und der Frechheit auf. »Es mangelte an allem«, heißt es 1999 im Katalog einer Ausstellung von Arbeiten der Ellinger Nachkriegsstudenten, zu denen auch später weithin anerkannte Künstler wie Georg Karl Pfahler und Michael Mathias Prechtl zählten. »Die Lehrmittel waren schwer zu beschaffen. Es gab in den leeren Klassenräumen keine entsprechenden Einrichtungen, so dass sich die Studenten der Innenarchitektur, die gelernte Schreiner waren, mit den geretteten Holzbearbeitungsmaschinen aus Nürnberg ihre

Zeichentische selbst anfertigten. Der Lehrbetrieb wurde durch tägliche Stromsperren behindert. In den Wintermonaten reichte das kontingentierte Heizmaterial nicht aus. Die Studenten betrieben in eigener Regie im Erdgeschoss des Westflügels eine Mensa, um die größte Ernährungsnot

zu lindern. Aber das persönliche Verhältnis zwischen Lehrer und Schüler war durch die geringe Studentenzahl und durch die Raumverhältnisse im Schloss besonders eng und führte zu einer lebendigen geistigen Auseinandersetzung, die für die künstlerische Bildung der jungen Menschen von nicht geringer Bedeutung war. Das ›akademische Gespräch‹ war damals wirklich existent und wurde leidenschaftlich gepflegt.«

Welche Version des Künstlerromans verwirklichte sich im akademischen Gespräch zwischen den Künstlergenerationen in der aufs Land ausgelagerten Nürnberger Akademie

im ersten Jahr nach dem Krieg? Womit waren die beiden Freundinnen damals, gekleidet in weiße Arbeitskittel wie Ärztinnen oder Wissenschaftlerinnen, zusammen mit ihren Professoren in den Zeichensälen des Ellinger Schlosses beschäftigt? In ihren Zitatsammlungen dokumentierte meine Mutter ihre Lektüre der Schriften Michelangelos und Winckelmanns. Obwohl sie damals auch Picasso wahrgenommen hat und in ihren Skizzenbüchern zeichnerisch zitiert, waren F. und Margot in Ellingen (wie übrigens auch Picasso selbst vor den »Demoiselles d'Avignon« von 1907) noch ganz der akademischen Renaissancetradition und dem geduldigen Herausarbeiten platonischer Ideen aus dem Gewirr der Erscheinungen verpflichtet.

Die intellektuellen Anregungen und künstlerischen Arbeiten dagegen, denen mein Sohn heute als Student an der Akademie in München nachgeht, ähneln eher Tante Fs Sprung in die Rezat als dem klassischen Ringen mit der Erscheinungswelt. Dem Enkel meiner Mutter kommt es – wie seinen Freundinnen, Professoren, Vorbildern, Gesprächspartnerinnen und Kommilitonen – 2014 nicht darauf an, an einem platonischen Gespräch (oder Kampf) mit der Welt des Sichtbaren – einer zugleich geistigen und manuellen Auseinandersetzung – auf interessante, eigenständige und Werke ermöglichende Weise weiterzuarbeiten (so könnte man das Lebens- und Arbeitsziel der Künstler bis zu Duchamp und Warhol beschreiben). Er und seine Kommilitonen versuchen eher, auf interessante, eigenständige und Werke ermöglichende Weise aus sämtlichen dieser Generationengespräche herauszuspringen.

Meine Mutter nämlich, so muss man es zusammenfassen, war eine spätmoderne Künstlerin, aber ihr Enkel ist ein zeitgenössischer Künstler. Der Künstlerroman, der in Ellingen 1946 noch gepflegt worden ist, rückversicherte sich in der Kunstgeschichte und orientierte sich (ob das den in ihn verwickelten Personen im Einzelnen bewusst war oder nicht) in neuplatonischer Tradition an den Ideen, die Tante F. und meine Mutter mit ihrem »Zeichnen« in unendlicher Annäherung heroisch suchten. Meine Mutter selbst hätte das so nie gesagt oder auch nur gedacht. Sie sprach und dachte über sich immer nur als von einer einfachen Kunsthandwerkerin. Vielleicht hätte es sie später von der täglichen Stuttgarter Erwerbsarbeit abgehalten, wenn sie sich allzu viel Gedanken über die philosophisch und kunstgeschichtlich anspruchsvollen Voraussetzungen ihrer Modezeichnungen gemacht hätte. Aber in der streng durchdachten Linienführung ihrer Selbstporträts, in den antikisierenden Posen ihrer Modelle und den Bohemekostümierungen ihrer rauchend, schlafend, posierend porträtierten Kommilitonen – sogar in den weißen Laborkitteln, mit denen sich die Ellinger Studenten und Professoren vor ihre selbstgeschreinerten Zeichentische setzten –, in all dem stellt sich der damals auf Kunstakademien noch ganz unbefangen und unreflektiert geteilte Platonismus einer künstlerischen Suche nach dem Weltgeheimnis dar. Der Ideengrund der Welt würde sich, so hofften die jungen Leute von 1946 in ihrem heute lang schon ausgeträumten klassischen Künstlerroman, durch »Zeichnen« (das *disegno* Vasaris und Ficinos) in der endlich getroffenen richtigen Linie enthüllen als »das Kunstwerk«.

Von den ersten Gesprächen der Verlobten bis zu den abendlichen Diskussionen meiner Eltern in den achtziger Jahren über ihre Eindrücke in Delphi oder Olympia war eine neuplatonisch-kulturkonservative Sicht auf die Kunst Familienideologie. *Wohin du guckst, siehst du die Urbilder der Kunstwerke, die du aus Büchern kennst, fast alle kleiner und bescheidener, und unendlich viel schöner, als man sie sich vorstellt.* So beschreibt meine Mutter in einem Brief aus Florenz an meinen Vater ihre italienischen Kunsteindrücke und greift dabei zu einem platonischen Zentralbegriff (den sie freilich ein bisschen *fuzzy* gebraucht). Mein Vater selbst formulierte 1999 die gleichen philosophischen Familiengestimmtheiten in dem schon erwähnten bildungsautobiographischen Essay über seine inneren Erlebnisse mit der antiken Kunst. *Über die Bilder der griechischen Archaik und Klassik zu schreiben –: die Latte liegt hoch; die Aufgabe verleitet Leute, die nicht genug wissen, zu hohem Pathos des Ausdrucks, zu unscharf und aufgeregt gegenüber der strengen Kontur der Dinge. Ich habe einiges gesehen und einiges weiß ich; und weiß, daß es zu schmal ist für ein seriöses Projekt. Überdies gerate ich damit in den Bereich ästhetischer Erfahrung, von dem ich gegen mein Ende nun die Gewissheit habe, daß es mich in dem Maße meines Lebens ergriffen hat wie sonst nichts. Distanz ist erstrebt als Dimension der Erkenntnis; und mißlingt immer wieder. Marianne sagt: »Du bist ein Grieche.« Ich kann es nicht sein. Doch habe ich eine Ahnung, und eine Sehnsucht. Denn ich bin dagewesen. Der altgriechische Kosmos von Bildern und Texten hat für Europa – und deswegen für die ganze Menschheit – eine ungeheure Bedeutung. Ein Horizont, der immer mit- und weitergeht, wie man sich auch bewegt. Ein Tremendum des »Selbst« als eines Gegenüber – wir erfahren das nicht in mesopotamischen, syrischen, ägyptischen Formen, sondern in denen von Delphi. Was uns da bewegt, »wer« uns da entgegenkommt, sieht bei uns aus wie Apollon und Artemis. Seit Winckelmann und Goethe und Shelley ist die Beschäftigung mit der altgriechischen Bilderwelt kein Diskurs sich ausdifferenzierender Analysen, sondern eine Geschichte von Ereignissen. Sie mußte es sein; wir hatten keine Wahl (...) alle expressive Leidenschaft ist in Europa immer bestimmt gewesen durch die Anstrengung auf ein Ideal hin, das sich ankündigt in der »dädalischen« Skulptur Kretas und in den »Kleobis und Biton« aus*

Delphi, vor 2700 Jahren. Und seither, durch alle Metamorphosen, immer wieder frisch seine Forderungen stellt.

Ich selber will das allerdings nicht glauben. Ich wollte bei diesem familiären Kanonisierungssprachspiel schon früh nicht mitmachen, obwohl ich lang nur ein unbestimmtes Unbehagen an seinen Regeln empfand, über das ich erst jetzt genauer nachgedacht habe. Heute reime ich es mir so zusammen: Spätestens 1960 hatte meine Mutter aufgehört, als Künstlerin zu arbeiten und sich als Künstlerin zu verstehen. Das Genre der Mode-Illustration wurde – in Zeitschriften, Katalogen und in Werbung – endgültig von der Mode*fotografie* abgelöst. Eine Gattung, die einmal eine revolutionäre Neuerung im Kunstsystem ausgelöst hatte – denn die Mode-Illustration war durch einen Beutezug der Hochkultur durch die Felder weiblicher Lebenskunst entstanden, der seit 1900 dazu beigetragen hatte, die kulturelle Praxis des zwanzigsten Jahrhunderts zu revolutionieren –, rückte ein ins Archiv kultureller Vergangenheiten. Mode-Illustrationen sind heute im Museum zu betrachten, nicht mehr beim Friseur. Dafür können wir jetzt ihre Posen, Konventionen, Techniken und klassischen Beispiele in der gleichen Weise als Quellcode der aktuellen Genres *Modefotografie* lesen, wie die Posen, Konventionen, Techniken und Klassiker der antiken oder der Renaissanceskulptur ihrerseits den Quellcode der Mode-Illustration gebildet haben. Mit diesem klassischen Code hat meine Mutter in Ellingen 1946 noch ausführlich Bekanntschaft gemacht (auf Akademien heute spielt er so gut wie keine Rolle mehr). Mir aber ist über der zugleich kunst- wie familiengeschichtlichen Kehre von 1960 – als Achtjährigem, dessen bewunderte Mutter plötzlich keine Künstlerin mehr war; deren Arbeiten in den von ihr zeitlebens abonnierten Modezeitschriften (die ich verstohlen mitlas) nicht mehr am Platz gewesen wären – aufgegangen, dass es unverrückbare Muster der Kulturgeschichte nicht gibt. Meine Mutter und ihre Kunst sind auf der Ellinger Akademie ebenso ein Medium zwischen einer Klassik und einer Moderne gewesen, wie ihre Arbeiten heute ihrerseits als klassische betrachtet werden können – als Antike einer wiederum neuen Moderne. In den frühen siebziger Jahren, mit den ersten Besprechungen der heute klassischen Rolling-Stones-Alben durch Franz Schöler im Feuilleton der bei uns zu Hause sehr tonangebenden Wochenzeitung »Die Zeit«, würde sich meine instinktive Kanonisierungsskepsis verstärken. Denn ich erlebte staunend (fast schockiert), wie die lang verachtete Popmusik plötzlich im bürgerlichen Rezensionsbetrieb auftauchte. Wo sie heute längst etabliert ist.

Seit ich diesen Zusammenhang – den unklaren Gefühlen eines kleinen Jungen und den Erkenntnissen eines kulturhistorisch Heranwachsenden nachspürend – verstanden zu haben glaube, erscheinen mir die platonischen Herkunftsphantasmen, die dem Reden über

Kunst und Literatur in unserer Familie immer zugrunde lagen, sogar als (zumindest ein) Ursprung des konventionellen Unglücks, das in den fünfziger, sechziger und siebziger Jahren über meine Eltern kam, ehe sie ihr Denken und Leben kurz vor dem Tod meiner Mutter eine Weile lang noch einmal frei machen konnten vom Druck der Tradition. Denn die klassische Überlieferung im Sinn eines Kanons zu interpretieren, wie mein Vater das in seinem Essay durchgehend tut (*wir hatten keine Wahl*), läuft auf eine der unwiderruflichen Festlegungen hinaus, die das Projekt freien inneren Lebens behindern. Wir haben durchaus eine Wahl. Wir können unbegrenzt oft neu anfangen. Es gibt unzählige Antiken. In meinen eigenen ästhetischen Seelenhorizonten jedenfalls – solche provokanten Thesen in den Raum zu stellen, drängt es mich immer, wenn ich eine Weile im Essay meines Vaters herumgelesen habe – spielen die Darstellungskunst Robert de Niros, Al Pacinos und Marlon Brandos in Coppolas »The Godfather« (oder Keith Moons Zusammenspiel mit Pete Townshend auf »Live at Leeds«; oder Audrey Hepburns Garderoben in »Breakfast at Tiffany's«) eine viel bedeutendere Rolle als die dädalischen Skulpturen Kretas oder die Friese von Olympia. »Jeder Mensch erlebt in seinem Bildungsgang eine Zeit, wo er zu der Überzeugung kommt, dass Neid Unwissenheit ist; dass Nachäffen Selbstmord ist; dass er sich selbst so hinnehmen muss, wie er ist, gehe es, wie es wolle; dass, wenngleich die Welt voll des Guten ist, kein Kernlein nährenden Korns ihm zufallen wird, ohne dass er das Fleckchen Erde, das ihm zugeteilt wurde, in mühevoller Arbeit bestellt. Die Macht, die ihm innewohnt, ist etwas Neues in der Natur; niemand als er weiß, was er zu tun imstande ist, und auch er weiß es nicht, bevor er es versucht hat.« Mein eigener Parthenon-Fries, könnte ich, von diesem Emerson-Zitat aus dem Nachkriegs-Florilegium meiner Mutter ermutigt, gegen den Familienplatonismus meines Vaters einwenden, ist das Pissoir, das Marcel Duchamp 1917 zu einer Kunstausstellung in New York eingereicht hat (»Fountain«). In meinen postmodernen Stimmungen könnte ich mich geradewegs dazu versteigen, Tante F.s Sprung in die Rezat für ein genauso bedeutendes Kunstwerk zu halten wie die Ellinger Zeichnungen ihrer Freundin Margot, so nah mir die sind. Jedenfalls bin ich in dieser Hinsicht mehr der Vater meines Sohns als der Sohn meiner Eltern.

Besuch in Ellingen, 2014. Ich war früh an einem spätsommerlichen Morgen aus Ingolstadt hingefahren, wo ich tags zuvor eine Lesung im Veranstaltungssaal des Donaukuriers absolviert hatte, vor den staunenswert interessierten, gutgekleideten, bildungsbeflissenen und geradezu weltstädtisch beschlagenen Bürgern dieser bayerischen Industriestadt, die so wenig provinziell ist, wie es in Deutschland vielleicht überhaupt keine Provinz mehr gibt (eine andere Geschichte, die uns die Kultursoziologen genauer erklären können). Im Altmühltal standen Wacholderbüsche familienartig zusammen zwischen weißen Kalksteinfelsen auf Abhängen und das Morgenlicht war von frühherbstlicher Zartheit. Der Bahnhof Ellingen ist eigentlich gar keiner. Man steigt an einem nur aus zwei Bahnsteigen, Fahrkartenautomaten und schwarzweißen Ortsnamenschildern bestehenden Haltepunkt aus und wandert erst durch ein Neubaugebiet der fünfziger Jahre, dann über eine Brücke mit barocken Heiligenfiguren und schließlich in einem Park voll hoher alter Bäume auf das Deutschordensschloss zu, das sich an der Mauer der Schlosskirche durch eine barocke Reithalle, ausgedehnte Stallungen und Wirtschaftsbetriebe ankündigt. Dann steht man vor der mit Karyatiden, Balkonen, Säulen, Kapitellen und Fensterfluchten aus der Landschaft emporsteigenden Fassade des Deutschordensbaumeisters Franz Keller. Auf meinem Weg an jenem Spätsommermorgen

kam ich an einer Reiterskulptur des Heiligen Georg vorbei, die ich auf einer Zeichnung meiner Mutter gesehen hatte. Ich erkannte sie im selben Sekundenbruchteil, in dem mir auch das Standbild eines Kronos mit Sense und Sanduhr auf einem Sims hoch oben an der Barockfassade auffiel.

In den Ställen hinter mir rochen und regten sich Pferde und streckten ihre Köpfe neugierig über die brusthohen Türen heraus. Ich kam auf den Ehrenhof vor der Portalfassade. Kastanienbäume. Kopfsteinpflaster. Ausblicke in das weithin aus Feldern und Wiesen bestehende Land. Der Fassade gegenüber liegen die Barockgebäude einer Brauerei mit dem dazugehörenden Schlosskeller und einer Gartenwirtschaft. »Adliges Landleben und europäischer Geist« – die antikisierende Formensprache von Architektur und Bildhauerei ist in der bukolischen Kunstlandschaft von Ellingen verbündet gewesen mit der Ökonomie des Landadels (ein Misthaufen neben den Barockskulpturen). Ich hatte mich für meinen Besuch zwischen zwei Zügen unter einen gewissen Zeitdruck gesetzt, vielleicht, um meine Besichtigungen intensiver zu gestalten. Die freundliche Dame am Eintrittskartenschalter des Schlosses gab mir (es war zehn Uhr, noch eine Stunde vor der Besichtigungszeit) einen Überblick über die Sehenswürdigkeiten, verkaufte mir einen Stadtführer, ein Buch über die Deutschordensballei Ellingen und verwies mich auf das Postamt etwas weiter hügelaufwärts im eigentlichen Ort, wo es noch mehr Literatur gebe und wohin ich inspiriert und kunsthistorisch aufnahmebegierig (fast ein bisschen aufgeregt) wanderte, vorbei an einem behutsam historisierenden Ensemble von Neubauten des Architekten Sep Ruf (der den Bonner Kanzlerbungalow und den Neubau der Nürnberger Akademie entworfen hat, denkmalgeschützte Monumente früher moderner Architektur in der Bundesrepublik; und der in Ellingen auch unterrichtete).

Auf der Post tat eine ebenfalls sehr hilfsbereite und freundliche Dame Dienst. Ich kaufte ihr noch einen Bildband über Ellingen ab. Und dazu ein halbes Dutzend Broschüren aus der »Schriftenreihe des Stadtarchivs Ellingen«, unter anderem die über die Ellinger Hexenprozesse in der Endphase des Dreißigjährigen Kriegs und eine andere über den alliierten Luftangriff am 23. Februar 1945. Dieser Einsatz hatte eigentlich Bamberg gegolten, aber dort war der Himmel für einen Abwurf zu bedeckt gewesen. Die 457. Bombing Group des 94. Wing der First Air Division konnte ihre tödliche Last mit dem verfügbaren Treibstoffvorrat nicht wieder nach England zurücktransportieren und löste um 12 Uhr 26 ein »opportunistic bombing« über Ellingen aus, das innerhalb weniger Minuten 94 Menschen tötete und Stadt wie Schloss schwer beschädigte.

Durch die winzige, inzwischen vollständig (übrigens unter Leitung jenes Sep Ruf) wiederhergestellte Stadt wandernd, nahm ich jetzt im Minutentakt, sozusagen abhakend, zur Kenntnis, was im Stadtführer als sehenswert verzeichnet war. In der Hauptstraße stand das Palais der jüdischen Familie Landauer, dessen Beletage in der Barockzeit den jüdischen Betsaal beherbergt hatte und das heute der Gasthof »Römischer Kaiser« war. Hinter einer lichten Hallenkirche weiter stadtauswärts rankten sich an der Fassade einer barocken Grabkapelle heavy-metal-artig Rosen um Totenköpfe. Eine metallene Klinke war als Engelskopf gestaltet. Im Untergeschoß lag, seit Jahrhunderten aufgebahrt, die Mumie eines Deutschordensmeisters. In der »Neuen Gasse« dahinter, einer vom fürstlichen Deutschordenskomtur einheitlich angelegten Reihe zweistöckiger klassizistischer Häuser, gab es eine weitere Synagoge.

Als ich am Ende meines kurzen Gangs an einer barocken Apotheke herauskam, stand meine Theorie über Ellingen fest. Mir schien es an diesem Morgen offensichtlich, dass Ellingen ein Modell der deutschen Kulturgeschichte war, ein Realsymbol abendländischen Geistes in den Formen adligen Landlebens. Die Baumeister der Deutschordensballei Franken hatten Landschaft, Schloss, Wirtschaftsgebäude, Alleen, Kirchen, Fischteiche, Kanäle, Häuser und Gärten als das Bild einer nach antiken Mustern absolutistisch geordneten »Welt in der Welt« angelegt. Die Deutschordensresidenz Ellingen verkörperte eine platonische Idee. Das »ganze Haus« fürstlicher Herrschaft und Ökonomie war in Ellingen ein Bild dafür geworden, wie man sich im alten Europa das Leben und Zusammenleben richtig und rational geordnet dachte. Die sich hier kreuzenden Straßen trugen diesen gebauten Gedanken weit in die fränkische Landschaft hinaus. So rational und zugleich unveränderlich hat die Welt jahrhundertelang ausgesehen, dachte ich. Und zugleich tauchte der Gedanke auf, die Generation meiner Eltern könnte die letzte gewesen sein, der sie in dieser Festgelegtheit erschienen ist. Wenn auch zumindest Tante F., wie ihr Sprung in die Rezat zeigt, damals schon begonnen zu haben scheint, mit der Welt und ihrer Stellung darin versuchsweise kreativ und experimentell umzugehen *(a postmodernist before postmodernism)*.

Dann eine Führung der freundlichen, von ihrer Stadt begeisterten und exquisit über sie Bescheid wissenden Dame vom Eintrittskartenschalter durch die barocken und klassizistischen Innenhöfe und Treppenhäuser, in die Kirche und die Repräsentationsräume des Schlosses. Die originalen Tapeten, die Wandteppiche, die ornamentalen Parkettfußböden, die antikisierenden Landschaftsgemälde, die Skulpturen und Medaillons aus Porzellan, Gips und Marmor. Die gusseisernen Öfen (auf einem Sockel hatten Studenten, die vielleicht die Kommilitonen meiner Mutter gewesen waren, sich durch Inschriften der Nachwelt in Erinnerung gebracht). Der Blick über den Ehrenhof auf die Stadt und die barocke Festung auf einem der gegenüberliegenden Hügel. Jedesmal, wenn sie von einer Reise wieder nach Ellingen zurückkomme, sagte meine Führerin und lächelte, müsse sie erst wieder über den Hof vor dem Schloss gehen, um nachzusehen, ob alles noch da sei, und sich mit ihrer Heimatstadt wieder in einen emotionalen Kontakt zu bringen. Es war ein kurzer Intimitätsmoment inmitten ihrer sachlich-kompetenten kunsthistorischen Erläuterungen.

Auf der Rückwand des Kassenhäuschens, vor dem wir kaum zwanzig Minuten später wieder anlangten, hing eine Bekanntmachung der amerikanischen Militäradministration von 1945, mit der alle Ellinger Kunstschätze unter den Schutz der US-Besatzungsmacht gestellt wurden. Aus Thomas Medicus' Buch »Heimat« wusste ich schon, dass der amerikanische Dichter J. D. Salinger nach dem Zweiten Weltkrieg ein Jahr lang oder zwei in dieser Gegend gelebt hatte. Seit 1941 war er, immer in vorderster Linie kämpfend (und in den Gefechtspausen am Manuskript des »Catcher in the Rye« arbeitend), von den Stränden der Normandie bis nach Franken gekommen. Als junger Geheimdienstmitarbeiter war Salinger ein Funktionär der Besatzungsmacht, die dieses Plakat damals an den Litfaßsäulen der Stadt aufhängte. In einem Nürnberger Militärkrankenhaus hatte er die seelischen Kriegsbeschädigungen behandeln lassen, die er aber sein Leben lang nicht mehr loswerden sollte. Im nahe gelegenen Pappenheim heiratete er eine elegante Deutsche, die vor den Bombardements Nürnbergs nach Weißenburg geflüchtet war. Er hatte damals (in Mittelfranken, *of all places*) versucht, ein anderer zu werden. Fast wäre er ein Nachkriegsdeutscher geworden. Aber die Ehe ist kurz danach, in seiner elterlichen Wohnung an der New Yorker Park Avenue, dann doch gescheitert. Salingers Dienstsitz lag erst in Weißenburg, später im nicht weit entfernten Gunzenhausen. Von Weißenburg nach Gunzenhausen fährt man direkt am Deutschordensschloss vorbei. Meine Mutter könnte, ohne dass sie es je wissen würde, dem Autor des »Catcher in the Rye« (einer Art Zukunftsgespenst ihrer späteren amerikanischen Träume und Pläne) irgendwo auf den Straßen Ellingens begegnet sein, Salinger in einem Militärjeep auf einer Dienstfahrt oder einem Besichtigungsausflug zum Barockschloss, sie selbst Arm in Arm mit »Tante F.«, die dem feschen jungen GI einen Blick zugeworfen haben könnte, den er ein paar Tage lang nicht vergaß und der vielleicht noch gelegentlich aufgetaucht ist in seinen Erinnerungen an die Militärzeit in Deutschland, wieder daheim, hoch über der Park Avenue.

Es war dann schon Zeit fürs Mittagessen. Ich hatte längst beschlossen, einen späteren Zug zurück nach München zu nehmen, und ging hinüber ins ehemalige Fürstliche Brauhaus Ellingen. Ein großes »Schloßbrauerei Ellingen« und ein Salatteller. Es war der letzte Tag meines Heimaturlaubs. Am Abend würde ich in München das Nachtflugzeug nehmen, zurück in meinen Dienstort hinter dem Schwarzen Meer. Meinem Sohn, den ich im Café des Lenbachhauses für ein letztes Gespräch über seine künstlerischen Pläne, seine Reisen, Lektüren und Beziehungsprobleme treffen wollte, hatte ich per SMS schon Bescheid gegeben, dass es später werden würde. Zwei unverplante Stunden zwischen den Zeiten und Ländern in Ellingen. Der kleine Block aus Büchern und Broschüren, den ich im Schloss und in der Post erworben hatte, lag neben mir auf dem gescheuerten Holztisch. Die großstädtisch-freundliche junge Kellnerin sah aus wie ihre Kolleginnen in Berlin oder München. Es gab im Ellinger Schlossbräu nichts von der misstrauischen Selbstverachtung, an die ich in der Zeit vor meiner schon über zwanzig Jahre dauernden Abwesenheit aus Deutschland überall außerhalb der großen Städte gewöhnt gewesen war. Es war, als hätte es das Iserlohn der frühen sechziger Jahre in Deutschland nie gegeben.

Wer andererseits ein Buch über die deutsche Geschichte aufschlägt, muss sich auf so gut wie alles gefasst machen. Schon beim Durchblättern eines Hefts der »Schriftenreihe des Stadtarchivs Ellingen« können einem unerwartet die grauenvollsten Ereignisse vor Augen treten. »Ich stieg hinauf und sah mit Entsetzen eine Frau liegen mit kurzen grauen Haaren, die so standen wie die des Igels«, las ich, bevor mein Bier kam, in der zuvor erworbenen Archivbroschüre über den alliierten Luftangriff auf Ellingen. »Auf dem Mund einen Backstein, an der Seite des Kopfes das Gehirn liegen, die Augen vor dem Kopf, keine Zähne mehr im Mund, viel kleiner, als sie früher war. Mit den Händen versuchte ich ihr den Dreck von dem Kleid zu entfernen. Erkannt habe ich sie nicht. Erst, als ich ihr den Rock hochhob, habe ich erkannt, dass es sich hier um meine Schwester handelte.« Oder, in einem anderen »Ellinger Heft«, dem über die hiesigen Hexenprozesse: »Unnd gleichwohl sich Inn der *ordinari* beschau kein Teuffels Zeichen befunden, Ist sie Jedoch auf gedachte vielfältige und starke *dennuntiation* Inn der Tortur erkenndt worden. Die aber ohn Tortur quasi, alß balden bekhenndt hat, alß sie den ernst vor Augen gesehen: sie hab das Hexenwerckh Zehen Jar trieben, wie dan weütleüffiger unnd mit allen umständen, bei dem Urteil zue finden. Nachmittags *Eodem die*, denn 13. Juny Nemblich, Irer Zue Morgens getanen Aussag, wiederumb In güetiger *Inquisition* geständig gewest, auch uber diesen Iren fehl sehr gewainet und weiters bekhendt etc.«

Ich dachte über diesen haarsträubenden Lektüren (die mich in meinem Salat nur unentschlossen herumstochern ließen) an einen Satz aus Walter Benjamins »Geschichtsphilosophischen Thesen«, wo es heißt, es sei »niemals ein Dokument der Kultur, ohne zugleich ein solches der Barbarei zu sein«. Aber ich dachte auch an seine Bemerkung in demselben Text über die vergangenen Freiheitskämpfe, die in den heutigen »als Zuversicht, als Mut, als Humor, als List, als Unentwegtheit (...) lebendig« seien. Vergangenheit, Gegenwart und Zukunft sind nicht getrennt voneinander. Die heutigen Kämpfe und Siege, sagt Benjamin in diesen Notizen sogar, »wirken in die Ferne der Zeit zurück. Sie werden immer von neuem jeden Sieg, der den Herrschenden jemals zugefallen ist, in Frage stellen. Wie Blumen ihr Haupt nach der Sonne wenden, so strebt kraft eines Heliotropismus geheimer Art, das Gewesene der Sonne sich zuzuwenden, die am Himmel der Geschichte im Aufgehen ist.« Wir, dachte ich dann plötzlich fast wider Willen sehr feierlich an meinem Ellinger Wirtshaustisch, sind die Enkel. Wir haben es besser ausgefochten. Unsere Lebenskunst hat dieses Land verändert und – wenn man Benjamins »Geschichtsphilosophischen Thesen« folgen will – auf eine geheimnisvolle Weise sogar auch seine Geschichte erlöst. Das Recht, andere zu werden – wir haben es uns jedenfalls genommen. Irgendwann (1945? 1968? 1989?) haben wir, erst zögernd, dann immer selbstbewusster, damit begonnen, das Land neu zu zeichnen, anders zu erzählen, in einer anderen Tonart zu spielen, und wir haben seither nicht mehr aufgehört damit. *»We'll never stop living this way.«*

Während mein Appetit wiederkehrte, erinnerte ich mich daran, wie sehr ich in Woody Allens Film »Everyone says I love you« immer die Schlussszene geliebt habe, in der Woody Allen und Goldie Hawn am Ufer der Seine, vor der nächtlich beleuchteten Kulisse der Pariser Stadtlandschaft, miteinander tanzen und dann, wie Figuren im Marionettentheater, plötzlich fliegen zu können scheinen (die Seile, an denen sie in Wirklichkeit nur in die Höhe gezogen werden, sind auf eine lustige und das Rührende der Szene paradoxerweise gar nicht störende Weise sichtbar). Und als ich mit meinem Salat schon fertig war, vor der Tür eine Zigarette rauchte und an der Barockfassade über mir emporsah, stellte ich mir in einer unbewachten Sekunde vor, das Schloss und die Landschaft von Ellingen, der Platonismus der hier verwirklichten Grundrisse, alle Kirchen, Alleen und Synagogen der Stadt, mitsamt dem Leben, der Kunst und dem Tod meiner Mutter, mit dem Krieg, mit der deutschen Geschichte, mit dem genialen und unglücklichen J. D. Salinger und mit meinem Großvater, seinen Erfindungen, seiner unklaren Daseinswut, seiner SA-Uniform und seinem Esslingen, könnten sich jeden Augenblick zu einer (jetzt auf einmal von irgendwoher zu hörenden) Melodie Cole Porters in die Luft erheben und davonfliegen.

Dann träumte ich über dem Rest meines Biers noch ein bisschen an meinem Ellinger Vormittag herum, telefonierte mit meinem Sohn, zahlte und wanderte durch den Schlosspark, über die Brücke mit den barocken Heiligenfiguren (ist Tante F. vielleicht hier in die Rezat gesprungen?) und durch das Neubaugebiet der fünfziger Jahre zurück zum Bahnhof. Von wo mich bald darauf ein Zug nach München trug, einem letzten Urlaubsabend in der großen Stadt entgegen. Und eine Eisenbahnfahrt lang war – wie am Schluss der Künstlernovelle »Aus dem Leben eines Taugenichts« von Joseph von Eichendorff – in meinem Leben und in der Geschichte meiner Familie »alles, alles gut«.

Ich danke meinem Vater Gustav Wackwitz dafür, mit welch bewundernswerter Großzügigkeit und Liberalität er mir sein Archiv zur Verfügung gestellt hat. Ihm und meiner Schwester Katja Wackwitz danke ich aber vor allem auch dafür, dass sie beide bereit gewesen sind, meine Sicht unserer gemeinsamen Geschichte (die sich mit ihren Erinnerungen und Bewertungen nicht immer gedeckt hat) nachzuvollziehen und als meine eigene zu akzeptieren. Dieses Buch konnte – ebenso wie seine Vorläufer »Ein unsichtbares Land« und »Neue Menschen« – nur dadurch entstehen, dass sie mit ihren Texten und Erinnerungen, mit vielen Gesprächen, in gegenseitiger Offenheit und Zuneigung an ihm mitgearbeitet haben.

Inhalt

Stephan Wackwitz
Ein unsichtbares Land
Familienroman
Band 16430

Eine alte Kamera bringt Stephan Wackwitz auf die Spur seiner Familie: Es ist die Familie des Pastors und Kriegsveteranen Andreas Wackwitz, der in unmittelbarer Nähe von Auschwitz lebte, bevor er 1933 in das ehemalige Deutsch-Südwestafrika auswanderte. Aus der dramatischen Geschichte seines Großvaters entwickelt Stephan Wackwitz den brillanten Lebensroman dreier Generationen und ihres Landes.

»Stephan Wackwitz schrieb aus der brillanten Vermischung eigener und fremder Biografie seinen Familienroman. Daraus ist schließlich doch ein wirklicher Roman geworden – weil Wackwitz erzählen kann.«
Der Spiegel

»›Ein unsichtbares Land‹ ist ein schönes, melancholisches und gehaltvolles Buch, das den Leser in die Erkundung einbezieht.«
FAZ

Fischer Taschenbuch Verlag

fi 16430 / 1